# 故宮
## 應該這麼逛

一探北京故宮繁榮盛世，
用不同角度全面玩味故宮歷史

吳駿聲

Chapter **1**　故宮中軸線篇

Chapter **2** 故宮東路篇

# Chapter **3** 故宮西路篇

　　相信很多人跟我一樣，在第一次坐飛機到北京，當機長廣播準備下降，預計還有多少分鐘降落北京首都國際機場時，心裡會吶喊：「北京！我來了！」；第一次到北京故宮，也在心裡大喊：「紫禁城！我來了！」

　　偌大的紫禁城中，有多少座宮？多少座殿？六百年來，裡頭又曾經有多少人？多少事？人、事、物之間，時間、空間關係錯綜複雜，紫禁城，如何說起？

　　明、清二代，自明成祖朱棣始，至清宣統帝愛新覺羅溥儀止，共經歷了二十四位皇帝，定都北京，並以紫禁城為皇宮。身為皇宮的紫禁城不止是皇帝及其家人的居所，更是全國政治權力的中心。皇帝在紫禁城裡得以向全國施展其政治權力，後宮的后妃們則只能在受侷限的生活空間裡難以避免地陷入爭寵奪嫡的人性漩渦。正史對於這些過程常常語帶保留，而野史則是盡情的加以渲染。不論在正史還是野史，在這六百年人事交錯的時間流中，紫禁城始終默默地扮演著舞台及背景的角色，讓一幕幕的權力悲喜劇上演，又落幕。看戲的人們多只注意到人的悲歡、事的驚奇，而較少注意到物的襯托。

　　紫禁城在這些權力悲歡驚奇劇中，是直接參與的。它的興建、利用、改建或者被決定荒廢著，都是劇中主人翁們意志與想法的展現，而且紫

禁城無幕不與。但在過去，人們大多注意到紫禁城建築群的美與巧，而沒有深刻地認識它們在六百年歷史長劇中的角色。

我們一般人去紫禁城，多半是一天，有興趣的，可能多去幾次，但很少有人能夠將紫禁城的每座宮殿全部走到，特別是從2004年故宮開始大修以後，每次去都會碰到部分區域維修而不開放的。

駿聲的主業是導遊，即使是一般導遊，也不一定有機會或有想法，要將紫禁城中各宮各殿去走透透的。但駿聲做到了，他不只走到了，他還持續地拍照，記錄紫禁城的變化；他也不只拍照，他還認真地蒐集了紫禁城中各宮各殿的資料與故事，這從他將紫禁城中所有的宮、殿、齋、居、門、照壁、花園、戲台、還有其他各式各樣建築的平面圖及其名稱繪成的功夫上，可見一斑。這樣的態度，讓他還多了一個斜槓身分——作家。

由於這樣的經驗與累積，駿聲給了我們一個截然不同的邏輯來認識紫禁城，他從導遊的角度帶我們分成三條路線來完完整整地走遍紫禁城，以空間為軸，穿插著每座宮殿在不同時間的主人的故事，讓我們在跟著他參觀物的同時，對於這六百年的人與事，也有了活潑鮮明的認識。

駿聲說故事，當然是有所本的，除了以正史、專論、紀錄及照片為依據，他在有些地方會提到改建前原來的建築是什麼，或是某些宮殿原先的用途或擺設；他的故事也不缺乏與野史、傳說及連續劇的對照，讓故事更為活潑，有時也會幫劇中人平反一下。由於對兩岸的故宮都熟，在許多地方，他會提到哪些原來紫禁城的寶物現在收藏在台北故宮，我們要發揮想像力將兩者合而為一。

　　書中不但有故事，還有知識。例如：紫禁城的建城史及周邊九座門的用途（第17頁）、防止挖掘地道進入行刺的太和廣場的地基的建築方式（第45頁）、秋決的審議其考量與執行（第76頁）、奏摺與其他公文的差別（第111頁）、緊急情況通知設施「石別拉」（第114頁）及「起居注」官員的功能（第188頁）……等等。

　　書中還偶而有作者個人的OS，例如：在說到慈禧六十歲生日大壽時，只是用在戲劇方面的費用，就高達五十萬兩白銀。他就OS：「這時黃海上的艦隊，如果能用這筆錢，換裝射速炮多好！」（第182頁）；在講到清軍進入北京之後，多爾袞和順治皇帝，在武英殿接受明代遺臣朝拜。他OS道：「這些識事務的大臣，前幾天還不理會崇禎的召喚，如今巴巴地趕來力勸兩人御極登基，真不要臉！」（第191頁）

書中還反映出他對這些藝術品的觀察力。在欣賞乾隆花園時，在「符望閣」中，他介紹說：「要全覽閣中的景色，至少需要轉動二十個觀賞角度。」；對「倦勤齋戲台」的通景畫，他發現：「天花板上繪成一個藤蘿架，從藍色的花朵樹技之間，可以看到湛藍的天空。從舞台前的一個特殊定點上望，會驚豔的發現，藤蘿花從架上一簇簇垂落下來的幻覺，但這一切都是畫出來的。」（第176頁）

　　讀完此書，腦海中裝下了這麼大的空間與這麼長的時間的這麼多帝后妃的故事，感覺就像讀了一本級別提高、空間放大、時間加長，但文字少得多的實體版紅樓夢。

　　期待疫情結束後，請駿聲開一個北京故宮全覽團，跟他暢遊紫禁城！

李方中 博士

台灣大學土木系副教授
台灣大學水工試驗所專案計畫研究員、特約研究員
2021年7月

2021年7月，在風聲鶴唳的疫情當中，整理完故宮的最後一筆資料。回顧我第一次進入故宮，是在2001年9月13日，911事件的第三天，當時也是在一片風聲鶴唳之中，心情激動地走完故宮。

當時參觀故宮的時間，僅僅只有兩個小時，對我這個喜歡歷史的人來說，能夠和康熙、乾隆這些人，在相同的空間、做不同的時間交會……我也在天子所站過的地方，用同一個視角在看這個美麗的宮殿，當然會熱血沸騰！但是現實無情的行程，很快的摧毀我的美夢，在短短兩小時的遊覽中，我只能處處驚鴻一瞥，留下無限的遺憾……那些建築物的典故是什麼？那些古人的喜怒哀樂有多少？我是曾經站在哪些歷史情節之中呢？抱著這些疑問，結束了首次的造訪行程。

之後我成為一名領隊，也再度進入故宮許多次，每一次走出故宮之後，都會有人對我說：「故宮就這樣喔……」可見得他們的疑問，也是當年我的遺憾！事隔多年之後，我終於興起了靠自身淺薄的力量，去收集故宮典故的心願。其實這個工作對我而言，是個巨大的工程。因為華人是個喜歡記錄的民族，關於故宮的史料，說是汗牛充棟毫不為過！在這麼多的資料裡面，我要從哪一個角度去向您訴說呢？

關於故宮的建築規格的書籍，在市面上已經毫不稀奇了。所以我以

「在這個房間內，曾經發生的事」為出發點，收集了故宮明清兩朝五百年間，在某地曾經有過的人情世故，加上一些在故宮裡必須要知道的歷史典故，整理出一份資料出來。另外就是在這十幾年間，所收集的珍貴照片，和自畫的方位圖示，希望能在您的心中，產生一個有趣的畫面。

在這本書的述事方面：首先以所謂的中軸線開始，然後是東側故宮的各個地方，最後是西側故宮的各個地方，也就是用三條路線，做全方位的故宮介紹。

由於故宮本身的原始布局是：南面是屬於公務的「外朝」、北面是私人的「內廷」，所以三條軸線也都是先由南方的「外朝」，逐步向北方的「內廷」介紹。故宮的「外朝」其實介紹起來比較簡單，就是由南向北。但是「內廷」的結構非常複雜，為了實際參觀方便，以及故宮本身對參觀路線的規定，所以在東路線上，關於「內廷」介紹的方向是「由西向東、從南到北」。而在西路線上變成了「由南往北、從西向東」的方向了。總之……本書所建議行徑，不但是全覽了故宮，也是最省力的走法了。

另外文中在介紹方向時，一律以地理的方位來訴說，幸好故宮的方位也是四方形的，因此在介紹各個建築物之間的方位，或是建物本身的內部空間，採用東西南北的說法，更能加強您的地區概念。

最後僅以這本淺薄的冊子，獻給我天上的父母，希望他們平安喜樂。

吳駿聲

2021 年 7 月 22 日

Chapter

# 1

| 故宮中軸線篇 |

# 當一天的九門提督，
## 巡視北京城吧

　　2020年的北京有一個文藝界的大事，就是故宮（舊稱：紫禁城）落成六百週年的日子！北京故宮博物院為了迎接這個重大的日子，其實早在2004年就開始大規模的整修紫禁城了，經過十數年……史無前例的全面翻修，無數專家學者專注的投入，所消耗的金錢、精力不啻於重建一座宮殿群。在無數的月落日升之後，終於趕在這個重要的日子全部完工了。這一次的工程，除了許多殿宇經過整修得到的新生命外，更重要的是：之前未曾與世人見面的地方，現在也終於可以開放參觀了，這使得一般人民，可以接觸到的故宮面積，達到80%的空前規模！所以現在就讓我們以故宮的中軸線、東路線、西路線三條路徑，全方位探尋六百年的故事！

　　六百年前……不！應該說是更早的西周時代，人們就注意到這裡的特殊位置。它位於華北平原的西北邊緣，北隔燕山山脈與蒙古大草原接壤，因此造成這裡是游牧民族和農業社會融合的地方，所以和其他中原地區相比，北京多了一份粗獷的氣息。演化到今天，北京市的範圍仍不斷的向周圍擴大……到現在已經有16400多平方公里，超過台灣的三分之一的土地面積，登記的人口

卻和台灣差不多，有2100多萬人，至於未登記戶口的稱為「北漂」，有多少人呢？這還真不好說……恐怕也有個百萬之數。雖然這裡處於兩大生活形態的交會區，但是居住在北京的人民，仍以漢族為主，還有回族、滿族、蒙古族等等民族，大家共同生活在一起。其中大部分的共通性，就是「不滿足」，因為這裡的消費水準太高了，所以當地人有句話說：「北京居大不易！」

大家都知道北京是個歷史悠長、文化底蘊深厚的地方，舉個例子：光看它的名字含有一個「京」字，就知道這是一個極具內涵意義的！眾所皆知它是首都的意思，其實它也是一個數字單位，位在億、兆之上；垓、秭之下，再說細一點就是十兆為一京[1]，也就是十萬個億的意思，所以北京有「北方萬億年之城」的霸氣！怎麼樣？光看這個地名夠有底蘊、夠悠長了吧？

其實這裡成為政治中心的時間，早在傳說年代就開始了。在傳說中：五千年前黃帝軒轅氏打敗蚩尤之後，就把政治中心設在現今距離北京西北方120公里的逐鹿地區。在真實歷史上，是在西周初年時，由堯的後代首先在這裡建立薊城，一直發展到今天，所以算起來也有了三千年的時間了。世界上有這麼長時間，一直有人居住的城市不多，北京絕對是名列前茅！

但是在歷史上，這裡第一次成為首都，那要到西元1153年，金代的「貞元元年」時。可是這塊土地被鑲上「京」這個字的時間要更早一點點，是遼代的「會同元年」，等於西元938年，只不過那時是以「陪都」

---

1　詳情請看國語大辭典，對「京」的解釋。近代有一京等於一萬兆的說法。

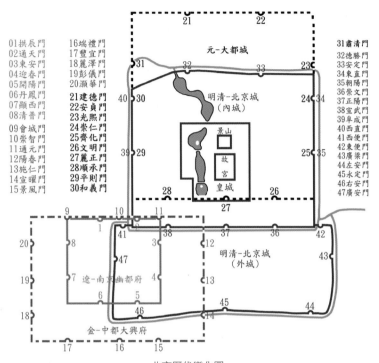

01拱辰門　16端禮門
02通天門　17豐宜門
03東安門　18麗澤門
04迎春門　19彭儀門
05開陽門　20灝華門
06丹鳳門　21建德門
07顯西門　22安貞門
08清普門　23光熙門
09會城門　24崇仁門
10崇智門　25齊化門
11通元門　26文明門
12陽春門　27麗正門
13施仁門　28順承門
14宣曜門　29平則門
15景風門　30和義門

31肅清門
32德勝門
33安定門
34東直門
35朝陽門
36崇文門
37正陽門
38宣武門
39阜成門
40西直門
41西便門
42東便門
43廣渠門
44左安門
45永定門
46右安門
47廣安門

北京歷代變化圖

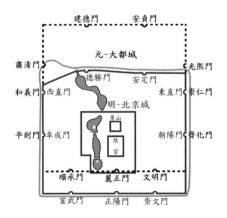

元明北京變化圖

的身分，叫做「燕京」又稱「南京幽都府」。至於後來的元的大都，明、清的北京，一直都是首都，大家就耳熟能詳，不需在這聒噪了，所以光是「京」這個字在這裡的歷史，就有超過千年的歷史了。

遼、金時代的都城，大約在今天北京的西南方向，元、明、清的城池，則是差不多在相同的位置。清代的北京城，是延用明代的城池，幾乎沒有變化。而明代的北京城，是將元代的大都城，向南平移了2.8公里，一百年之後又在南牆外，加了所謂的「外城」牆體，所以明清的北京城，看起來像個「凸」字，一個小口堆在一個大口上，上個口叫「內城」、下個口叫「外城」。其實「內城」說是像一個口有點不正確，因為在西北角落的城牆卻是歪斜的，變得好像有五邊，為什麼老北京的「內城」，變得如此怪形？這有個有趣的傳說。

傳說當年北京城在建造時，請到了當時兩位頂尖的人才，一位是鼎鼎大名的劉伯溫，另一位叫姚廣孝。這兩位大師在規劃設計時，夜晚居然都夢見到一個小孩在跟前，要求兩人照著他的樣子畫，而且一連數天都是如此……後來兩人在夢中拿起紙筆，描繪那個小孩時，一陣風吹起了小孩的裙子，其中一位大師忠實地捕捉到這一場景，於是「內城」歪斜的西北角，就是那片被風吹起的衣裙，投射到西北城牆的建造了，所以就成了怪異的五角形。那個小孩是誰？傳說就是神話故事中的三太子——哪吒！因此老北京的「內城」，又有一個別名叫「八臂哪吒城」。

當然以上的傳說不可能是真的，因為這個說法在元代的劉秉忠，建大都城時就有了。再來明成祖改造北京城時，劉伯溫早就駕鶴西歸了，怎麼可能再參與規劃？另外也有歪斜的城牆，是為了避開廟宇之說，究竟是為了什麼？成為了歷史之謎。

明永樂十八年（西元1420年），成祖朱隸將元大都改建北京完成，它以周長24公里的厚實城牆，防衛著帝國核心，成為所謂的「內城」。到了嘉靖三十二年（西元1553年），又在它的南方增建周長14.1公里的「外城」，以保護更多的人民。這時兩城的牆體相加有40公里長！全部是以夯土為內裡，外層包裹厚重的磚頭而成。據說：將這些磚頭相連起來可以繞地球二圈半，可見它有多雄偉壯觀！

明成祖

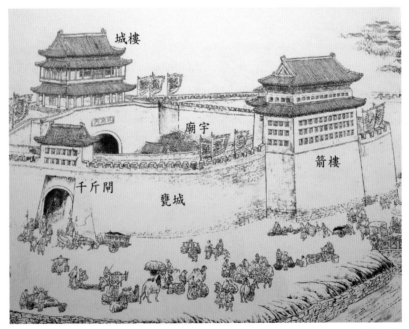

城門結構

當時這座中國最大防衛體系，內外一共有十六座城門供人民出入。既然是人們來往的地方，自然就成了防禦的重點所在！當時每個城門都是由軍事性質的「城樓」，及火力中心「箭樓」所組成的，與聯接兩者的拱結構牆體，共同形成一個被稱為「甕城」的防禦堡壘。可以供人進出的地方，通常位於「箭樓」的火力俯視之下，再加上「千斤閘」結構的門板，使得城門更加堅不可摧！各座「甕城」內又各自有個小型的廟宇，供奉著武聖關帝（內城北部是真武大帝）祈望以神力保佑城市平安，在廟宇附近也有簡易的市集，提供人民所需。這就是進入古代北京城，給人的第一印象。

　　當時的北京城門，還有一個奇異的風俗，就是每座城門都有一個獨特的作用，所以現在就請幻想一下：您就是防禦「內城」的九門提督，認識一下您所管制的區域吧。首先第一個視查的地方，是東邊的「東直門」。

　　這裡以前是個重要的商務中心，在明清時想採購建築材料的人們，都來到此處選購，因為各地運來的材料，都先集中在城門附近的庫房中。之所以有這個慣例，這和「城樓」上的一個神跡有關。傳說：當年「東直門」的「城樓」蓋好之後，工匠們發現樓的東北角的斗拱相較其他地方要高，這必定是有人製作的零件，在尺寸上出了問題！正當大家驚悚要受到嚴懲時，突然有一個小木匠，爬上斗拱一腳把它踩平了，然後突然就不見蹤影、只留下一個腳印，這時人們紛紛說是：木工之神——魯班顯靈！從此以後，新來到北京的木工瓦匠，都要到「東直門」的「城樓」來瞻仰祖師爺的足跡，建築材料先集中在這裡，也是希望得到魯班的祝福。

　　沿著「東直門」的城牆往南走，下一個城門是「朝陽門」。它是北京最老的出入口之一，直接由元代大都城的「齊化門」改名而來。六百多年

前，明朝開國大將——徐達，就是從這裡攻入大都城，趕走了元順帝開始明朝的天下。百年之後、清軍進入北京和抗戰時的日本軍隊，都是由「朝陽門」入城的。這裡也是北京居民重要的糧道輸入地，南方的各種米糧由南方水路運來之後，就是由這個城門進入城市的，所以從前的「朝陽門」上刻著一束穀穗，就是象徵著這件事，也因為如此，當年城門內的附近，有許多的糧倉。

　　轉到「內城」的南方，這一面有三個城門，第一個位於東方叫「崇文門」。這裡因為靠近「通惠河」，所以由「京杭大運河」而來的貨物，都會在這裡上岸報稅，因此能和這裡掛上關係的人都富到流油！例如：明末的福王——朱常洵、乾隆的和珅等等，他們的財富都和「崇文門」稅收有關。慈禧掌權後，用這裡的稅金來支付她的化妝費用（別鬧了！可以支付幾萬個女人的化妝費了吧！），民國以後的總統薪水也是靠這裡支付，因

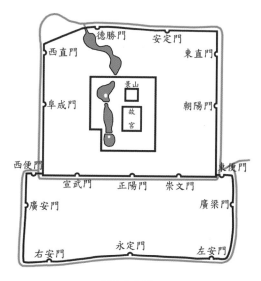

明清北京城

正陽門箭樓

此「崇文門」是九門之中最忙碌的地方。

　　南邊中央的城門是「正陽門」也是「內城」的正門，現今仍保存著非常完整（「甕城」牆體已拆）。它是老北京極重要的大門，象徵著國家的門面，所以修建的極為壯麗！這座城門在明清時代，除了是皇帝出入北京城的地方外，另外還有一個極為少見的儀式，也在這裡舉行，那就是皇帝大婚時的皇后鳳駕，就是從這裡開始進入紫禁城，這是一個極為尊貴的象徵，明清只有少數的皇后享受過這種待遇。還有在正式的外交禮儀中，國外使臣也是從「正陽門」開始進入北京，去朝見皇帝。

　　「正陽門」的南方，可以看到另一個上面有很多洞的城門，就是防禦結構的火力中心──「箭樓」，那些洞的作用是讓守衛的箭矢或者火槍射出的地方。原本「箭樓」兩側延伸出去和「正陽門」相連，有一道「甕

城」的牆體，後來因為交通因素拆除了，所以現在看起來是各自獨立，但是以前可是中國最大的「甕城」！南面牆體上，最後一個靠西的城門是「宣武門」。要是百餘年前穿越「宣武門」時，可以看到門洞頂部上刻著「後悔遲」三個字，因為這是給作奸犯科的死刑犯，或者是送葬隊伍走的，所以古代有「死門」之稱。

「內城」西南角與「外城」交會的地方，以前有個「西便門」，不屬九門提督的職掌之內，但這裡有個故事可以介紹一下。在兩百年前，當時門外還是一片廣大的草地時，可以看到草地上散落了幾十塊白石，遠遠看去很像一群白羊正在低頭吃草。傳說那是木工之神魯班，當初為了幫助北京城的興建，將白石變成了白羊，從別的地方趕來，想做為勞力的貢獻，沒想到魯班把羊趕到北京時城池已經完工了，於是神羊無用武之地，魯班就在「西便門」外遺棄了牠們，也因此恢復白石的原貌。也許是這個傳說故事加上這裡水草豐富，當時的牧羊人都喜歡在這放牧，希望在神羊的

正陽門甕城

保佑下，能讓自己的羊隻身體健康。每當夕陽西下，在金黃色的陽光背景中，羊隻緩緩東歸，構成一幅美麗的場色，於是有了「西便白羊」一景的稱呼，只是今天已消失在城市的擴建之中了。

沿著城牆再轉彎向北行的第一城門是「阜成門」，它在「內城」的西側靠南，是北京城內居民所使用的煤，主要入城的地方。它的北方是「西直門」則是專門進皇家御用水的！你說北京內沒水嗎？為什麼要用一個城門專門進水？其實百年前，城中的水質不好，所以貴族們所用的水都是從十幾公里的玉泉山上，用水車運水過來的，因此靠山最近的這裡才成為專門走水車的。

再度沿著城牆轉向東方，在「內城」的西北角，有一座至今保存完整、而且是原汁原味的老城門，叫「德勝門」。這裡在元代時本叫「健德門」，據說元順帝由此門北歸蒙古後，明代把名字改為「德勝」，做為勝利的紀念。後來元代城牆南移後，唯一沒變的名字就是這座「德勝門」，所以北京有句老話，叫做：「先有德勝門、才有北京城」，就根源於此。它是當時軍隊出征時使用的，軍隊回來時走它旁邊的「安定門」，兩個一左一右共同形成軍隊出征、得勝回朝的吉祥話。

這九座雄偉城門，保護著北京人民渡過了133年的時光之後，安定的歲月吸引更多的人們來到城中居住，漸漸的城內空間不敷使用，於是嘉靖皇帝又在城南建了一道牆體，讓更多的人民被納入保護，這些新建的「外城」就沒有那麼多的故事可講，而且大部分也消失在時光當中，結束了它們的歷史任務。

# 前往銀河星際，
暢遊天安門前後

　　當年明成祖朱隸將元大都改造成首都時，好大喜功的他就想把北京變成宇宙的中心，於是將中國人對「天」的概念，投射到帝都的規劃中，來強調他的「合法性」。當時的人們認為「天」有三個部分，分別是掌管人民生活層面的「天市垣」、掌管律法的「太微垣」以及統治的核心「紫微垣」。上一篇所提到的「外城」就是象徵著「天市垣」的地方，「太微垣」就是進入「正陽門」後的「天安門廣場」，而「紫微垣」就是指故宮──紫禁城。

　　第一次來參觀故宮的旅客，第一站都是由「天安門廣場」開始的。這個巨大的廣場東西長500公尺、南北寬880公尺，面積44萬平方公尺，號稱中國最大的廣場。它的南方有一個古代的城門，是老北京內外城的分界，叫做「正陽門」。由此門向北有一個現代的建築物是「毛澤東紀念堂」，毛主席的遺體目前就存放在內。

　　它原址是「內城」中的一道象徵性的城門，在明代叫「大明門」，清代叫「大清門」，民國時代叫「中華門」。有趣的是清朝統治中國後，直接把「大明門」的牌匾翻

過來，在背面寫上「大清門」又掛回去，二百多年後，民國時代把牌匾取下，也想在背面改寫，結果發現已經有寫了字，才換了另一塊「中華門」牌匾。後來「中華門」拆了二十年後，建造了這座「毛澤東紀念堂」。

紀念堂向北約200公尺，有一塊巨碑叫做「人民英雄紀念碑」，是1952年為了紀念近代重要歷史時刻，例如林則徐虎門銷煙等八件事件所豎立的。從開始建造到1958年落成揭幕，一共用了五年多的時間。這塊巨碑用了17000多塊花崗岩和漢白玉石所構成的，其中最大的一塊，就是由毛澤東所書寫的「人民英雄永垂不朽」的「碑心石」，重達94噸！它的原來材料可是有320噸，因為當時工程技術無法從山東搬運來，所以才切割成現在的樣子。

「碑心石」正面的金色字體，不用懷疑⋯⋯是以黃金貼成的，它和背面周恩來所撰寫的碑文，一共用了130兩金箔貼成的。它的基座四面上一共有十幅壁刻，其中八幅是剛才說的歷史事件，另外二幅是「支援前線」和「歡迎人民解放軍」的壁刻。

這塊「人民英雄紀念碑」所在的地方，在百年前叫「千步廊」，顧名思義就是一條很長的走廊，縱向的通往「天安門」，它的兩側在當年遍布各種政府機構。基本上「千步廊」東側是「文」的機構，例如我們在電視上聽過的什麼「禮部」、「吏部」、「工部」、「戶部」，西側是「武」的單位，例如明代是令人聞風喪膽的「錦衣衛」總部，清代是「刑部」等等，都在這裡！

廣場的北方盡頭，有一條橫向大街叫「長安大街」，從明成祖時就叫這個名字到現在，是北京歷史最悠久的街道。在大街上有許多特別的燈

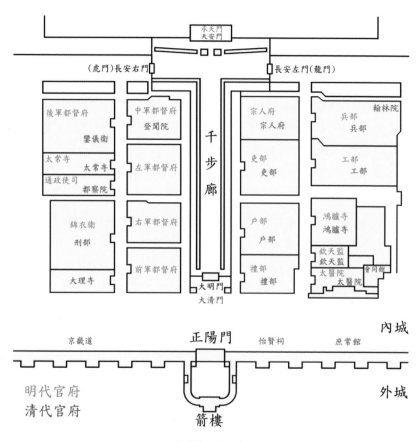

明清時代天安門廣場

具，全稱叫「中華第一燈」，簡稱「華燈」。它的底座是方形、燈罩是圓形象徵「天圓地方」。在「天安門」前的「華燈」每根有十三顆燈泡分為三層，第一層八顆、第二層四顆，最上面僅有一顆，有「四面八方擁護中央」的意思。「天安門廣場」上的也有「華燈」，但只有九顆，呈蓮花狀。

以「天安門」為中心，在數十年前的「長安大街」上，原本有左右兩門，稱為：「長安左門」和「長安右門」。東側的「長安左門」老一輩的北京人稱為「龍門」，因為在科舉考試時代中，其中於最高級別──殿試中及格的名單（榜單），就張貼在「長安左門」附近，所以叫「龍門」是有道理的，因為一登龍門身價百倍嘛……在中國傳統習慣中，有龍就有虎，所以與之相對的「長安右門」就有「虎門」的別稱。

「虎」在當時的觀念中有肅殺的意含，倒也符合「長安右門」──「虎門」的別稱。因為清代時在「長安右門」與「千步廊」間的空地上，有一個稱作「朝審」的制度在那裡舉辦。那是在「霜降」時節前後（西曆10月20日左右），會將刑部牢中的死刑犯，押送到這裡做最後的審理。確定沒有冤情之後，經過造冊呈報皇帝進行「勾勒」的程序，等到「冬至」（西曆12月21日到23日）時就押赴刑場行刑。所以犯人由刑部，從「長安右門」進入到這裡時，一般來說凶多吉少，所以把這個門叫做「虎門」。

兩座大門的中央北向，就是中國代表性建築物之一的「天安門」。這座城門原本是「內城」內的第二圈城牆叫做「皇城」的南正門。以前這道「皇城」長度大約九公里，擁有七座城門，將今天的北、中、南海地區都囊括在內，所以從天空上來看時，好像與「內城」組成一個「回」字。在這個「皇城」範圍內的建築物，都是為了服務皇帝所設置的各種機構，可見有多少人伺候著萬乘之尊啊！

順治榜單

華表

這座「天安門」是皇家的重要門面所在，因此有許多特別的象徵物存在。首先在「天安門」前兩側看到的柱狀物叫做「華表」，就是皇家的標誌。據說這是堯帝時代所形成的一種制度，當年他老人家樹立這根的作用，是收集人民對施政的意見，尤其是負面指責，所以又稱「謗木」。在「華表」上有一塊橫向雲朵狀的物品，就是將文字寫在木板上，然後釘上的地方。現在它變得這麼高，誰能釘得上去啊？（這也多少反應現狀……）

「華表」的頂部蹲坐著一隻像龍的石刻，其實它是龍族的一種，叫做「吼」，是的……你沒聽錯，它就叫做這名字，而且也和它的工作有關，在「天安門」的前後各有兩隻「吼」面對著不同的方向。話說……龍的外表雖然威風凜凜，有一對大耳朵，其實龍有重聽的毛病……不然龍耳為什麼叫「聾」？所以身為「真龍天子」的耳朵也不太好，這時「吼」的工作就來了。在「天安門」後、面對皇宮方面的

那兩隻，當皇帝忽視民情的時候，會對皇帝吼叫著：「皇上啊……要時常出宮來關心民情啊……」所以叫「望君出」。當天子出宮看到外面花花世界、流連忘返時，現在「天安門」前的這兩隻就會喊道：「聖上啊……趕快回來處理朝政啊……」因此有「盼君歸」的外號。據說「吼」的聲音只有「真龍天子」才聽得到，像你我這樣的平民百姓，就只能看到外表，聽不到它的聲音了。

兩根「華表」旁邊各有一隻石獅，在「天安門」前一共有四隻石獅，疑……一般建築物前不是只有兩隻，為什麼這裡有四隻？之前有介紹過紫禁城是以「天」的概念設計的，大家看石獅的背後有一條河，叫「外金水河」，是象徵天界與人間的界河（故宮內有「內金水河」象徵天界中的銀河），所以兩隻是守衛界河的入口，兩隻守衛天界的入口，一共有四隻沒錯。

橋前西邊的這隻母獅，極少人知道它的腹部有個傷口，據說是三百多年前，明代農民起義軍，李自成圍攻紫禁城時所留下來的，因為這隻母獅當時居然活起來！去撲殺闖王，但被矯健的李自成躲開並刺了一槍，因此留下這個洞。另一種說法是八國聯軍攻擊京城時所遺留的，傳說過程一樣，只不過對象換成聯軍統帥瓦德西（Alfred Graf von Waldersee）。

「外金水河」上有五座石橋，正中央是皇帝走的「御路橋」，兩側是宗室王公走的「王公橋」，最外兩側是供含三品以上大官走的「品級橋」，往東西延伸還有一個叫「公生橋」的兩座橋，是含四品官員以下和其他人行走的。現在「御路橋」還是不能走，可是走「王公橋」或「品級橋」，過過宗室王公或一品大官的癮，還是可以的。

站在「天安門」下抬頭上望，可以發現中央缺了一段欄杆，那是皇帝「降」旨的地方，根據《圖說老北京、京門九衢》的畫像中顯示，凡遇國家重要事情要宣布，例如：新皇登基、冊立皇后或是天子大婚、頒布遺詔時，有根雕刻成鳳凰的木桿，伸出欄杆外，頂端的鳳頭內有機關，用繩子連著一個盤子，盤中就放著詔書，然後禮部官員捧著雕刻雲朵的盤子，接著徐徐降下的文件，這才有「神聖旨意」的feel嘛！這個動作叫做「金鳳頒詔」。現今它的影子仍然存在，像是中國有重要事情向國際宣布的時候，例如：1949年新中國的成立，2008年北京奧運的布達，都是在「天安門」中央缺欄杆的地方進行的。

通過「天安門」之後，又是一道城門橫擋在我們面前，那是一個裝飾性的城門，叫做「端門」。在遠古時代的皇宮前，有一道「肅牆」，也像現在一樣，橫擋在我們面前，那是提醒人們整束儀容、

天安門-金鳳頒詔

端門

　　端正心情準備面聖，今天這道「端門」就是「肅牆」的放大版。它也是皇帝儀仗隊的庫房，根據史料記載：當時有一萬八千副閃亮的盔甲，以及其他鹵簿（皇帝出巡時表示威嚴的器具）存在這裡。另外城樓上有口三噸大鐘，皇帝朝會、出巡時敲響，達到震懾人心、端肅儀表的目的。過了「端門」之後，真正的皇帝正門就在我們面前。

# 別被拖出午門給騙了，
打屁股是真的

待漏朝房

　　過了「端門」之後，聞名遐邇的「午門」就能遙望得
到了。「午門」前的東西兩側各有一列廂房，是給當年的
大臣們上朝前用的，因為那時上班的官員很辛苦，必須
要在凌晨五點之前，就到「午門」前集合，等待大門打
開。這樣的日子在清代，原則上是十天一次朝會，但在
康熙、雍正和乾隆早期的官員，可就倒大霉了！必須要
天天凌晨三點左右起床，準備梳洗等等工作，然後來到
這裡上班。到了清朝後期就輕鬆了很多，而且常有人用
各種理由請假不參加朝會，這也表示政局開始逐漸衰弱
下去。

在等待「午門」開啟的這段時間中，難道要讓這些大臣傻站著等嗎？所以這些廂房的存在，是可以讓每個部門的官員，在等待期間，到各自的房間內去稍微休息一下，所以這些廂房叫做「待漏朝房」，這個「漏」是一種計時器，延伸為等待時間的意思。這個時候官員們可以在朝房內相互交際一下嗎？恐怕在康熙時期，誰也不會有這個閒情逸致，因為待會兒在朝會中，大臣要把給皇帝的報告給背出來。那時皇帝一邊看報告，一邊聽報告，所以大臣要是背錯了資料，可是要受罰的，所以這時候的每個大臣都在朝房內背書！

在之前提到北京城的規劃，是中國人以「天」的觀念，在地面上的投射興建。所以從這裡的「午門」開始，就是象徵屬於天之核心——「紫微垣」的範圍了。在中國的星象中認為「紫微垣」中有二十八星宿[2]拱衛四方，剛好每個方向各七個星宿。而每七星的排列又各自形成一個神獸。東方天空的七宿，組合在一起看起來像龍，西方的像虎，南方是鳳凰，北方是玄武，因此方形紫禁城的「東華門」就是象徵天上的龍，「西華門」象徵虎，北方原本以玄武為名，後來為避康熙皇帝的名字，而改稱「神武門」。

不但如此，在「紫微垣」中的各顆星星，也都投射到故宮內的各個建築物上，例如故宮之中是「內閣」是代表「紫微垣」中的「四輔星」、「熙和門」附近的「起居注館」是垣中的「柱史星」，「太和門」兩側的「侍衛值宿處」是代表「玄戈星」、「天槍星」，就連「御膳房」都象徵「紫微垣」中的「內廚星」，「乾清宮」就是象徵永恆不動的北極星——帝星等

---

2　所謂的宿，是指月亮所停留在某個區域的時間，是二十七又三分之一天，好像住宿一樣，所以叫做「宿」。

等。總而言之，這些都是「君權神授」的極致表現，為了天子統治萬民，提供一個合法的依據。

「午門」做為皇宮的正大門，當然極其講究！首先，它代表二十八宿中的鳳凰，又因為它的兩側有東西「雁翅樓」，像鳳凰展翼般，所以又有「五鳳樓」的別稱。再來「午門」的「午」是指太陽在天空的最中央，也是光芒最強烈的時候，表示皇帝對人民的意義，如同天上的太陽一樣，具有滋長生命的作用！它有12公尺高，向左右展開如同一個「冂」字形，這樣的形式叫做「闕」，是僅有天子的正門才能有的樣子。另外在東西「雁翅樓」上共有四顆金色圓頂，象徵「北斗七星」的勺的部分，與「中和殿」、「交泰殿」和「欽安殿」頂部的另外三顆，共同組成了象徵天庭的「北斗七星」。

「午門」牌匾中的兩個字，也有講究的地方。它原本是滿漢文並列的，後來被袁世凱剷去了滿文，留下現在的漢字。但細看其中的「門」字卻是寫錯了，而且一錯就了六百年！發現了嗎？「門」那個字少了最後一

午門

筆的上勾。為什麼要少這一勾？因為皇帝是真龍天子，而龍是水中生物最怕魚勾，所以少那一勾是避免詛咒傷害龍體，稱為「缺筆」，不要說這裡了，紫禁城內所有地名牌匾，都不會用帶勾的筆劃，就算不得已必須得用時，就要「缺筆」，就是這個因素了。

午門匾額

「午門」的欄杆和「天安門」一樣，少了正中央的一段，那是某些特殊時刻，皇帝在「午門」前舉行某些儀式的位置，例如：有一種「獻俘禮」的儀式，也就是軍隊戰爭勝利，皇帝站在那兒檢視被俘的敵人。在清代也只有康、雍、乾三位老大，有辦過這項儀式，其他的……唉，不提也罷。另外也有一件大事，也在這裡舉行，就是「頒布曆書」的儀式。

「曆書」或者「時憲書」（乾隆時為了避諱老人家的名——弘曆，而改名時憲書），我們現代叫「黃曆」，您或許會認為這有什麼了不得的，每次過年時，街上隨便都能買到。做這生意的人，要是在百年前的話，絕對是滿門抄斬的事！因為「黃曆」是皇帝統治的象徵，歷朝歷代都把「頒布曆書」視為大事，它不但是人民生活作息的依據，屬邦使用本朝曆書，也是「奉正朔」的效忠的表現。所以私印「曆書」就是謀朝篡政的行為，那還不滿門抄斬？「曆書」也因為絕對的權威性，在民間產生了許多神話故事，所以一年一次在「午門」「頒布曆書」是極其隆重，要發至四海遵行的大事。

從「正陽門」開始到現在的「午門」，可以注意到那些門的門洞，已

經從圓頂的變成現在「午門」的方頂，這是表示「紫禁城」是皇帝的「私宅」！這是中國建築上的習慣，「方門」代表私宅，需要經過許可才可以進入，而「圓頂門」是不需要許可就能進入的門，例如：宗教性的建築物，不信的話看看大家府上的門，是不是都是方頂的。

「午門」做為神聖的私宅大門，當然和一般家門口，有鎮邪之物一樣（石獅、門環等都有鎮邪作用），它的鎮物就安放在「午門」的城樓上，明代時是供奉著明成祖——朱隸的武器，清代改成始祖——努爾哈赤的盔甲，來做為鎮門之寶！現代的「午門」上，已成為特殊展覽使用，那些武備不復再見了。

介紹完「午門」的外觀和作用之後，它的東方的空地上，也是個歷史場景，是明代處罰大臣「廷杖」的地方。明代皇帝時常在這裡打大臣屁屁，最高紀錄是嘉靖皇帝上台時，為了追封生父為帝的事，在這裡辦了一次空前規模的「廷杖」活動，一共陸續打了134人。那百來人形成一片屁海，真是何等壯觀啊！這時候相信那些大臣，都知道錢的重要性了吧。有塞紅包的，執行口令是：「來啊！給我用心打！」，這時執行者看起來雖

午門廷杖地

然還是很賣力，但訣竅是雙腳外八，比較出不了力。至於剛正不阿、不識抬舉的人就是：「來啊！給我著實打！」，聽到這句暗號的施刑者，就會站立容易施力的內八步，這樣被「廷杖」的人，生存機率就比較小了。當時每位大臣，至少

午門前警衛房

各有八名錦衣衛伺候著，四人壓制手腳，其他人執行家法，每打五下就換手，以保持力度一致，因此被執行者常常非死即殘。據說「廷杖棍」上有倒勾釘子，如果是真，實在太殘忍了……難怪有「推出午門斬首」之說。

「午門」正面的門洞乍看之下有三個，正中央當然只有皇帝可以進出，但有一種人，一生中可以走進一次，那是只有少年皇帝大婚時的皇后可以走。清代十個皇帝只有順治、康熙、同治、光緒五位皇后走過而已（順治大婚二次[3]，宣統大婚時已不是天子）。另一種人一生中可以走出來一次，就是狀元、榜眼、探花三人。各位猜一猜還有一種人一生可以進出無數次的是誰？答案是……觀光客！

中央門洞旁的西門，是供宗室王公走的，東門是三品以上大官走的。在「午門」三門洞的兩側前各有一個小房是「警衛房」。當年在這裡當守門員的，那可跩得二五八萬的！手執紅棍、坐著板凳上……對！是坐著，連王爺經過都不必起身致敬，想要讓他站立，只有親王等級以上的人才可以。

---

3　順治兩次舉辦過大婚儀式，參考自《大清后妃寫真》第108頁。

「午門」兩側向南延伸的建築物是東西「雁翅樓」，樓下靠「午門」的地方也各自有個「掖門」，原則上是殿試時考生走的。「掖門」內比較窄，大約只能讓一個人通行，所以在「午門」廣場上雜亂的考生要進入「紫禁城」時，經過「掖門」的整理，就能非常有次序的形成兩條縱隊，前往考場了。

過了「午門」之後，現在的「午門城樓」已經開放參觀，從進門之後左轉，上之字形坡道就可到「午門城樓」。在城樓中經過「西雁翅樓」之後，再上一個窄窄的階梯，就到「午門城樓」的正面了。在階梯之前可以看到「午門」正面上的殿宇是座落在一個「須彌座」，這個名詞待會兒到三大殿的「雲台」時，再詳細介紹，現在只簡單的說：表示至高無上的意思。站在「午門」城樓的正中央時，開闊的「午門」廣場令人心曠神怡，前方的「端門」和稍遠的「國家博物館」、「人民大會堂」都能看到。我們現在看東西的角度，和康、雍、乾三位頂峰的皇帝一樣，怎不讓人激動？現在「午門」和東西「雁翅樓」內，都有展品展覽，而且隨著季節有不同的主題展出。

# 誰告訴你皇帝
# 上班的地方是金鑾殿

穿過「午門」之後是氣勢磅礡的「太和門廣場」。在古代中國的宮廷，時常要接待藩屬的使臣，或是其他地方的執節者，所以入宮之後的第一印象非常重要！必須給人一種宏偉的感覺，使人震撼從而心生畏懼、仰慕朝廷，這個廣場就是有這種作用的地方！

廣場上有一條彎曲的河道，叫做「內金水河」，是紫禁城內的第一個建築物，在「君權神授」的氛圍裡，被賦予了許多意義。首先它象徵天上的銀河，是進入「天庭」的必經之路，第二，從上空俯視時，河道就像一張弓，河上有五座石橋像五支箭，這有個講究，叫「射御天下」，也就是天子以仁、義、禮、智、信的品德教化他的億萬子民。第三、故宮的締造者朱隸，非常篤信真武大帝，甚至認為自己就是真武的化身，而這個神明有個代表物品叫「玄武」，明成祖在設計故宮時，就將這個理念融入了。眼前的「內金水河」就象徵真武的「玄」（蛇），故宮北方的「景山」就代表真武的「武」（龜），將大帝的象徵物安放在紫禁城的前後，當然是祈望兩者永遠的護佑江山！

為什麼叫「金水」？因為河水是從西方灌入的，在「五行」之中西方屬金，所以叫「金水」。這條「內金水河」在故宮中的總長度大約是兩公里，從城的西北「角樓」附近進入，由「午門」東側附近匯入護城河。這條河流除了為城內提供重要的水源之外，也是讓暴雨時的雨水有個可以洩洪的地方，所以並不只為了好看，也是有實質作用的。在這道河流上有五座石橋，和「天安門」前的石橋一樣，按官位品級行走的。正中央最寬、最長的是皇帝走的「御路橋」，兩側是宗室王公走的「王公橋」，最外兩側是僅供含三品以上大官走的「品級橋」。「天安門」前的「御路橋」不准行走，而現在卻可以讓我們踏上康熙、乾隆的腳印，走過「御路橋」吧！

午門與太和門結構

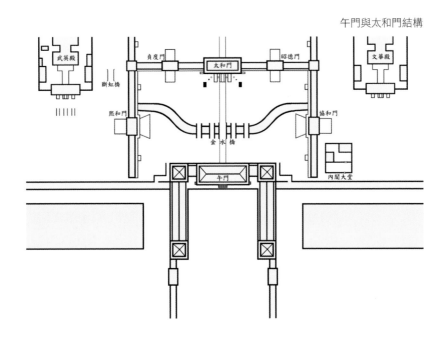

御路橋和太和門

　　過橋之後，正中央的殿宇叫做「太和門」。咦……門怎麼這麼大？其實門不只我們印象中的板子而已，在門的規制中，最大的像是之前的「正陽門」、「天安門」等等，叫「門樓」，次大規模的就像現在「太和門」叫「門庭」，最後最小的，就是一般人家的一片木板，這也叫門。所以「太和門」這個有「門庭」規格的地方，也就是具備有可以聚眾集會的功能。

　　「太和門」的兩側各有一個陪襯大門，東邊叫「昭德門」、西側是「貞度門」，這兩個門的存在，使得「太和門」不會顯得孤峰獨處，反而讓「太和門」更加壯麗！二門之中以「貞度門」較有歷史價值，因為它是明代皇帝非正式處理公務的地方，天子駕崩後，新皇帝在登基前，也在這裡治喪。中央的「太和門」是明朝萬歲爺正式上班的場所，這個舉動叫「御門聽政」。

　　耶～皇帝上朝的地方，不是金鑾寶殿嗎？怎麼會在這裡？其實這其中

有段曲折傳說。據說明成祖朱棣,仿天宮建成紫禁城後,永樂十九年一月的某一天,朱棣心血來潮,宣「漏刻博士」(掌管時間)胡齋(音量)上殿,令他為壯麗的三大殿推算未來。其實朱先生的用意很清楚,就是想聽幾句漂亮的場面話。不知道咱們的胡大哥,是天顏咫尺緊張到暈頭,還是個性單純,居然鐵口直斷地告訴朱先生說:「今年五月八日,中午十二點時,奉天、華蓋、謹身(明初三殿的名字)三殿,將付之一炬!」還沉浸於華麗新大殿喜悅的朱棣,讓這個預言氣的七竅生煙!下令錦衣衛將胡大師打入天牢(只能說這位胡大師也太老實了)。

數個月後,三殿果然在那天那個時刻,被雷火燒毀成了一堆廢墟,從落成大典至雷火焚殿僅僅九十七天。朱棣因為「奪位」的心虛,一直沒有重建奉天殿(太和殿)。經過明初時的仁宗、宣宗等三位皇帝,直到十七年後,明英宗才重建三大殿。這段時間皇帝總要有地方上班啊,又不能在後宮生活區中召集眾臣議事,這像什麼話,所以只能在尚且完整且壯麗的「太和門」朝會辦公了,「御門聽政」從此成了慣例。事實上「太和殿」在明一代有三次被雷擊毀,十四個皇帝中有一半沒辦法在「太和殿」登基,所以「太和門」就成金鑾寶殿了[4]。

這裡在清光緒年間,也發生了一件大事!就是光緒十四年十二月十五日(西元1889年1月16日),「太和門」失火整個燒沒了。您說沒了再建就好了嘛,幹嘛緊張呢?那是因為失火那天距離光緒大婚僅有四十二天了,用現代科技也不可能重建啊!您說堂堂正正的大清皇后,從旁門繞那多憋屈啊!而且老佛爺——慈禧一生最大的遺憾,就不是從正門進宮的,她的媳婦同治皇后還曾經拿這件事嗆過她,所以無論如何必須讓自己家族的

---

4 「御門聽政」的制度早在朱棣遷都北京時就有了,這裡只是提供一個倒果為因的故事。

上｜太和門內　下｜銅獅與太和門

人，走一次大門結婚，完成葉赫那拉家族的創舉！於是皇室下了死命令，要在四十天內重建「太和門」！

這怎麼辦呢？用傳統的方法是別想了，於是工匠們用搭野台戲樓的辦法，用布料紮了一個「太和門」。史料上說：這個搭建的「太和門」，幾乎以假亂真，就是常年在這裡值班的人，都沒辦法分辨真偽。老佛爺的姪女——葉赫那拉靜芬，就這樣穿越了假門，進入一段有名無實的婚姻，這一切都為了完成慈禧的個人私欲。

「太和門」前有一對明代青銅獅，是紫禁城內最大最精緻的獅子，有近六百年的歷史，也是故宮中唯一沒有鎏金的獅子。它的頭上有45個髮髻，隱藏了「九五至尊」的涵義（9乘5等於45）。青銅獅的兩側各有一個奇怪的東西，就是西側的石匣和東側的石亭。這個石匣是什麼？其實清代嘉慶皇帝也曾經有過這個疑問。有一天嘉慶經過「太和門」，突然發現這個石匣，詢問翰林院中學士：「這是什麼？」（奇怪之前的皇帝都沒看見？）別看平時之乎者也、飽讀詩書的大儒，這時全都瞠目結舌不知所云，那趕緊去翻閱史書吧，傻了……史書上居然沒有！後來他們在一本小說中找到答案……

石匣

那是一本聊鬼談怪的《閱微草堂筆記》，作者是幽默大師紀曉嵐。他在文中記載：曾經在裡面發現大量已經腐敗的穀子，因此翰林學士報告皇帝說：那是一個「嘉量」容器（度量衡的容器）。其實筆者認為：學士的答案有些糊弄皇帝，事實上由於古代中國是以農立國，重農抑

商一直是基本國策，所以每一年都會精選全國長得最好的稻穀，叫做「嘉禾」，放在御座附近，表示天子心繫天下百姓的吃飯問題，例如今天「太和殿」龍座旁，就有陳放「嘉禾」的容器，叫「太平有象」。所以既然明代皇帝在「太和門」理政，這個石匣內有穀子，可能和「太平有象」的作用一樣吧。

　　幸好當時嘉慶沒問另一邊的石亭是作什麼用的，因為現在就連故宮的專家也不知道，姑且把它當做置詔書的地方，所以叫「詔書亭」。穿越「太和門」之後，有一個更具視覺衝擊效果的地方，就是「太和殿廣場」。

# 行刺皇帝你別想了，
有太和廣場！

太和廣場

　　過了「太和門」之後，眼前的「太和廣場」豁然開朗！這也是當時的設計巧思，為的是給外來使臣一個震撼，感受天朝上國的威儀。什麼……你沒這種感覺？喔……那是因為「天安門廣場」上的建築物拆了嘛。如果在當年，國外使者進京時，從「正陽門」開始，在「千步廊」或者是「天安門」、「端門」等等地方行進時，這一路上的建築物，都故意設計成阻擋使臣的視線，直到這裡才突然開擴起來，這樣的視覺反差，無疑會在來者

心中造成震撼，產生對中華天朝的敬畏。哪怕到了今天，我們的視線中還是沒有現代的高樓，豎立在它背後來破壞它的美感，它依然看起來是那麼的宏偉。

這個廣場的面積有三萬平方呎，地表全部是以磚塊所疊成的。根據探測的結果發現，這些磚塊一共有十五層，全部側立安放以增加厚度，先橫向累積七層之後，再縱向鋪設八層，總厚度達到兩百公分。這些磚塊之間完全沒有黏著劑，全以自然的方式排列疊放。這是古代的一種防盜措施叫「積沙」，可以讓想挖地道鑽進來的刺客，因為

太和殿廣場地磚

頂上的磚塊鬆動，而被上方落下的磚頭打死！無論刺客有多麼的厲害，想挖地道進入紫禁城，都要絕了念頭。所以走在這個「太和廣場」上，可能會發現它的地表沒那麼嚴緊，其實是大有深意的。

廣場上還能發現一些正方形的磚塊，排列間隔的距離非常整齊，這是要讓參與朝會的官員，知道自己要站的地方，當時還有一個輔助的道具叫做「品級山」放在旁邊，上面鑄有一至九品的字樣，這樣可以依據自己的身分地位，各歸其位就不會亂糟糟了。你說想穿越過去，到「搖滾區」看莊嚴肅穆的皇帝登基大典行不行？明清兩代的官員，他們的衣服上都有代表身分地位的標誌，文官是飛禽、武官用走獸，而且每一階級都有一個特殊的禽獸圖騰，例如：一品文武的圖案是鶴或麒麟，其他二至九品就不累述了。就算王爺等級的人，像親王、郡王他們的衣飾上也有區別。就算你穿越過去，穿著親王服飾站在「搖滾區」，也會馬上被認出是冒牌的，因為有御史會巡邏糾察，一個皇帝的兄弟親王，不可能沒見過吧，到時捉去

砍頭可別找我。

　　廣場東西兩側上，各有一個大型建築，西邊叫「弘義閣」，對面是「體仁閣」，在明代也有文武樓的稱呼。想穿越到清代「借」些寶貝的朋友注意了，「弘義閣」是皇室收藏金銀器皿；和其他珍貴寶物的地方，不要跑到兩旁那些瓷器、衣、皮、茶等庫房拿，那不值什麼錢。那「弘義閣」內還有哪些珍寶呢？有看過電影《見龍卸甲》嗎？趙子龍到一個房間內，憑弔已故老友的戰甲，「弘義閣」就是這種地方。從皇太極的甲冑開始，清朝歷代皇帝的戰甲，都一一存放在這裡，還有曾經當過太后、皇后、皇貴妃三個等級的故人，他的金冊（當選證書）和金印也存放在這裡。

　　對面的「體仁閣」在明代是放《永樂大典》的地方，你說一本書需要這麼大的地方來放嗎？需要喔……它有1萬1千多本，以3.7億多字記載了中國文化的種種事物，被《大英百科全書》稱為：「世界有史以來最大的百科全書」。可惜經過天災人禍等洗禮，目前僅有418本分散到各個地方收藏。明亡之後到了康熙時，他曾經短暫的在「體仁閣」成立了「博學鴻詞」科，集中了許多的優良人才，來編修明史。任務結束後，「體仁閣」的作用只是存放布料的庫房而已。

　　兩閣之間的北方，是故宮最大的單體建築──露台！故宮最重要的代表──「太和殿」，就是豎立在三層漢白玉石基的露台上。這個露台又叫雲台，南北長232公尺、東西寬130公尺，合乎9：5比例，是頌揚皇帝「九五至尊」的身分！整個雲台從空中俯視時，可以明顯看得出是個「土」字，那是因為五行方向裡，土居方中，象徵君王在此號令四方及「天下之地莫非王土」等意義。

露台共有三層，是取「墨子」提到堯帝接受天下推舉成為共主時，諸侯曾建三層土階的典故，來比喻皇帝的德性如「堯」般的仁慈高尚。這三層露台的每一層，都是以「須彌座」的形式來裝飾。「須彌座」也稱金剛座，原本是指神佛所居住的須彌山，後來用於等級最高建築的基座上，表示這個建築物，像是位於須彌山一樣的崇高！它的特徵是：座身中央有束腰形式，凹陷部分的上下皆有雕刻圖案。

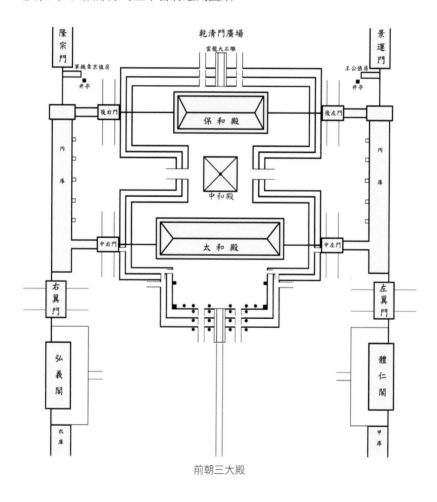

前朝三大殿

太和殿丹陛

　　正面三層露台上擺置了十八尊寶鼎，表示清政府統治內地的十八個省，這是引用傳說中的大禹被擁立為天下共主後，曾經鑄造九鼎的故事。當時大禹將某一個地區的山川、河流、鬼神等形象刻在某一座鼎上，然後賜給某一個諸侯，代表那個諸侯有那一地的治理權。這些寶鼎的位置，也有一個重要的視覺效果，就是在「太和殿」舉行典禮時，在鼎的內部燃起香煙，將大殿包裹在一片雲霧當中，遠看「太和殿」好似天宮一般！近看露台時，可以發現整個台上到處都是龍，好像有萬餘條神獸，在宏偉的雲台中上下竄動著。其實整個雲台有1458根雲龍望柱，和1142個「螭首」

太和殿殿前嘉量亭

（沒有角的龍）。這些「螭首」都是排水孔，所以下大雨的時候能欣賞「千龍吐水」的奇景。

　　這三層露台第一層有21個石階、第二、三層各9階。正中央的龍道，稱為丹墀或丹陛，（是「陛下」一詞的由來），是皇帝專用的道路，走完這39階，然後終於到達壯麗的太和殿前了。頂層露台的西邊有一個放置「嘉量」的石亭，東邊有一個「日晷」的設施。石亭內的

「嘉量」，是自唐朝流傳下來的度量衡器具，可以測量斛、斗、升、合、龠五個由大而小的單位，有點類似今天中央標準局內的「法碼」的意義。而「日晷」是古代計算時間的工具，所以「嘉量」與「日晷」有「天下以我的標準為標準、以我的時間為時間」的意義，代表天下一統！

太和殿前銅龜（贔龍）

「嘉量」之後放置一隻銅鶴，「日晷」之後有一隻銅龜，它們也有是有典故的。根據在《花鏡》這本書，形容鶴的長壽：「鶴生3年後頭頂變紅，7年後羽毛長齊，10年後能夠鳴叫，30年後聲音合乎音韻開始能夠跳舞，又7年後毛色成為白如雪、黑如墨，然後體態一直變化到160年後定形，1600年後成為仙鶴，尚需飲水但不必吃東西了。」而龜呢，牠在神話故事中有萬年壽命的傳說，如《述異記》中說：「龜一千年生毛；壽五千年謂之神龜；壽萬年曰靈龜」。所以鶴代表千，龜代表萬，如此一來這四件物品就成了「千秋萬載、天下一統」的超級吉祥話了！另外那隻龍首的銅龜，其實叫「贔龍」，傳說中：當年黃帝與蚩尤大戰時，因為蚩尤能召喚大霧，來影響黃帝軍隊的指揮，因此黃帝用「贔龍」製成一面鼓，用鼓聲指揮諸侯的進退，所以這個銅龜有號令的含義。

從「太和殿」前的這些陳設來看，都是強調天子統一天下的尊貴，以及千秋萬世穩坐江山的希望。其實在「太和殿」的外觀上，還是有這種萬邦來朝的意思。到了殿內之後，布置風格已經變成強調皇帝的神聖性，是上天派到人間管理的使者！介紹完太和殿外的陳設後，接下來要關注到「太和殿」本身的建築。

# 命不夠硬的別坐
太和殿

　　「太和殿」是故宮之中最大、最高的屋體建築！在帝制的時代，全國的任何建築都不可以在體積上比它高大，那怕是到了今天的北京，在它的北面依然不准起高樓，就是為了保持至高無上的感覺。這座殿宇在民間俗稱「金鑾寶殿」，故宮開放參觀之前，老百姓對它有著無比的幻想，覺得這裡一定是金磚滿地，到處充滿著金光閃閃的各種物件！事實上、「太和殿」的真實布局，充滿著天子的神聖性，也真當得起人們對它的想像空間！

鴟吻

首先「太和殿」的屋頂叫做「重檐廡殿」式，是中國古代至高無上的建築等級，除了帝王可以使用外，通常只有宗教建築可以使用，但必須供奉的主神是佛，或有帝號的神明，例如：玉皇大帝、關帝聖君等。它屋脊的兩端各有一個龍首形的「鴟吻」，這是在傳說中，一個能克火的神獸，是生活在大海中的一種魚龍，尾似鴟，能激浪降雨，於是將它置於頂上以壓火神！這件藝術品是由13塊琉璃所燒製組合而成的，高3.4公尺、重達4300公斤，是故宮最大的琉璃製品！

講到這裡說個題外話，不知各位有沒有發現古代的民間房屋大部分是黑頂，為什麼？因為黑色代表五行中的水，水能克火是眾所皆知的，所以借此希望火神不要降臨。筆者還聽過更誇張的是在屋樑上放色情圖畫，因為火神——祝融是個未婚女神，女子看到這種東西，當然就會害羞，不好意思久留了。不過至高無上的「太和殿」屋樑中怎麼能放色情圖畫呢！因此「太和殿」屋樑中放了五塊「神牌」以鎮祝融！在這一次太和殿大整修中，首度發現到這些「神牌」，證實了典籍中的記戴。

兩層「重簷」上共有八道簷角，各有十隻坐獸。坐獸數量越多，表示建築物的等級越高，而「太和殿」一道簷角上有十隻坐獸，這個數量在中國建築物中無出其右，所以它是最高等級的建築物！這十個琉璃神獸，它們是龍、鳳、獅、天馬、海馬、狻猊、牙魚、獬豸、斗牛、行什。龍的意義不用再說，而鳳是代表祥瑞，獅代表了護法、有勇猛威嚴的意思。天馬、海馬是代表忠直勇敢，狻猊能食虎豹，獬豸性忠，斗牛能將陰雨化為雲霧。將這些神獸放在檐角上，除了在結構上，是防止瓦片滑動之外，同時也表示天子統治天下，四方珍禽異獸齊集來朝，除災免禍剪除邪惡！至於最後一個「行什」，是封神榜中的雷震子，也就是雷公。把「行什」放上去，是避雷火，雷公總不能自己打自己吧，不過這是僅有「太和殿」才有

太和殿簷角行什

的唯一的孤例。有了這麼多的克火象徵，「太和殿」在歷史上還是失火了四次，現在的主體建築是康熙年間災後重建，2008年為了迎接北京奧運，重新整修的。

一進入「太和殿」內，大部分的人立即會被黃金寶座所吸引，其實殿中的地磚學問才大呢。殿內的地磚共有4718塊，稱為金磚（原名京磚），因為一塊地磚的成本跟黃金一樣，所以又稱之金磚！它的製作過程非常複雜，簡單的說：是用太湖湖底的泥土，撈起後經過捶、晒、舂、磨的選土工序，還有反覆的淘、晾、踏的澄泥工序，然後造坯、重壓（目的是將空氣擠出）之後，放入庫房陰乾再入窯去燒130天。首先用選過的糠草薰一個月、片柴（有樹皮的）燒一個月、棵柴（無樹皮的）燒一個月、最後用松樹柴燒40天才能出窯，別急！還有浸泡在桐油中49天之後才算成品。這樣千錘百鍊，大約兩年的時間，才能出來的成品還不是每一塊都能用，由江蘇送上京城後，有專人

根據磚上的紋路等等條件，五塊精選出一塊，才能在紫禁城中使用，其他擊碎不准外流！

殿中有72根巨柱，同樣也是引人注目。在明代時，這些柱子都是用極其昂貴的金絲楠木製成的！什麼？您說不知道金絲楠木有多貴？這樣說吧……一斤重的金絲楠木，比現代的一斤金價還貴！而且有錢還不一定買得到。在清代康熙重建「太和殿」時，世上已經找不到這麼多、這麼粗的金絲楠木了，所以不得已只有用東北的紅松木接長、加粗而成。

這些柱子都是經過「打地杖」的特殊加工。所謂的「打地杖」是古代木頭防潮防蟲工程的專有名詞，方法是先將木頭刨光刨圓之後，抹一層灰（灰中有加防蟲的草藥）再札實的裹一層麻；然後再抹一層灰、一層麻，如此反覆幾次，最後加上石膏定形，刷上紅漆就完成了！而在殿中央有六根黃金柱，除了「打地杖」的方式之外，還加上所謂「瀝粉貼金」的工序。也就是先用石膏在柱上做出龍的圖案，然後上膠、再用黃金打成薄薄的金箔貼上就是金光閃閃的金柱了！

六根金柱上方，是木製鎏金藻井。光看藻、井這二個字又是跟水有關，就知道有是克制火神的涵義！事實上這個結構，是因為在古代屋頂重量，全部集中到了中央，為了平衡上下左右而向上做了個圓拱，以抵消各方的壓力。古代工匠又將這個圓拱美化，就成了現在大家所看到的眩目藻井了。

這個藻井由上而下共有九層，象徵九重天，其中有圓形、八角形、方形三種層就象徵著古代天圓地方及八方四海的宇宙觀。中央一條金色蟠龍張牙舞爪、翻雲浪滾而下，四周金鳳展翅、環繞著金龍飛翔、非常壯

太和殿御座

金磚

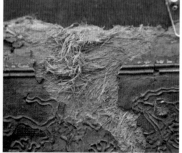

地杖結構

麗。蟠龍口中銜著一個渡水銀的圓球，這個圓球稱為「軒轅寶鏡」，這個形式據說是黃帝軒轅氏所創，歷代皇帝也在這種寶鏡正下方登基，藉此表示延續黃帝軒轅氏的正統！也有傳說，如果不是真龍天子坐上寶鏡下的寶座時，寶鏡就會掉下將冒牌貨砸死！迷信嗎？至少袁世凱相信，他在1915年準備登基，坐上中華帝國皇帝的寶座時，就怕它掉下來，於是將整個基座向後推去，到今天仍然沒有回到原來的位置。

在六根黃金龍柱所包圍的地方，就是金鑾寶座的地方。據說當年安座時，經過精確計算要安放在北京城的正中央，而且是故宮中最高的位置。有種說法：坐在龍椅上的皇帝，如果眼力夠好能看到「正陽門」的屋頂。寶座上有塊「建極綏猷」牌匾，它的原件遺失，目前看到的是2002年依據老照片中的樣子，所複製而成。它原本是乾隆御筆，意思是：天子上承天道、下對庶民的雙重神聖使命，既要建立法則，又要安撫百姓。

這個金鑾寶座是楠木製成的御座，正面有三道階梯，是給皇帝走的，兩側各有一道階梯，是給侍從或禮官走的，這五道階梯都是六階，象徵天下太平的六合。如果要坐上龍椅的位置是九階，加上五道階梯就是象徵九五至尊！御座上的龍椅是明代嘉靖年間的作品，以極昂貴的「紫檀木」製成，這個龍椅的造型，是以九條金龍相互糾纏而成！所以又稱九龍椅。除此之外、整個「太和殿」的前後內外，共有14986條龍紋，其中有420條在御座周圍，包括龍椅上的九條，目光全部集中在皇帝的身上。受到這麼多眼光注視，真是命不夠硬的，都會被克死！

龍椅兩旁是大象背著寶瓶的工藝品，象徵「太平（瓶）有相（象）」，其實裡面裝著「嘉禾」，也就是優良品質的稻種，這除了代表天子心繫農業之外，也是祈求風調雨順、天下太平之意。最後御座上有二

個立亭式香薰，及四個香爐，它們的功用是皇帝上朝時，可以在周圍各式香爐中，燃起陣陣香料，將天子包裹在雲霧之中。想像一下……望著上方的皇帝，看起來若有似無、如同雲中的金色神仙一樣，那種感動真是非筆墨可形容！難怪歷史中有那麼多人用盡方法、不擇手段只為登上龍椅，但千年之中也僅僅208人而已。

在前往雲台上的第二個建築物——「中和殿」的途中，可以經過許多的「鎏金銅缸」，這是當年故宮之中防備失火用的，可以看到它的底部有升火的灶，可以在冬天時升火不讓缸中水結冰。故宮原本擁有22口這樣的「鎏金銅缸」，現在僅存18口了。這些鎏金的銅缸，每個重1696公斤，外表覆蓋100兩的黃金。現在缸上能夠看到明顯的刮痕，都是八國聯軍時，被士兵用刺刀刮取黃金的痕跡。最後在「太和殿」的東西外壁上，可以看到幾個鏤空的磚雕，它用途是將牆壁中的濕氣排出。當觀賞完「鎏金銅缸」後，「中和殿」也就近在眼前了。

# 皇帝的準備室：
# 中和殿

中和殿

　　「中和殿」在「太和殿」的北方，也是所謂的三大殿之一。「中和」這兩個字，有「天下之本、天下之道」的意思。它之所以看起來不大像亭子一樣，是因為處於雲台的中間、「土」字的腰身上，能利用的空間本來就不大，另一方面是為了視覺平衡，讓「太和殿」和「保和殿」凸顯得更壯麗。

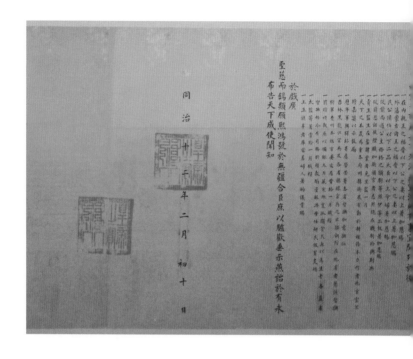

在這個雲台上的建築物，大都與公務有關，「中和殿」的作用也是如此。實際上它可以視為「太和殿」的附屬建物，像是現代正式場合旁的貴賓室一樣。在「太和殿」的背後，可以看到許多扇門，這些門就和「中和殿」有關。其實「太和殿」使用的次數非常少，但只要使用都是極為重要的時刻，譬如：皇帝登基、生日、元旦、冬至大朝會等等。這個時候不可能要皇帝在「太和殿」等大家，所以他老人家就會在「中和殿」中休息，等待前面諸位大臣就定位之後，這時候就會有近臣來到這裡，向皇帝報告接下來的流程，並請天子移駕「太和殿」中登上御座視事。

另外每當要給太后上徽號（加抬頭）前，皇帝也會事先在「中和殿」確認一下，看看有什麼不妥的。這裡還有一個功能不太常用，就是每隔七

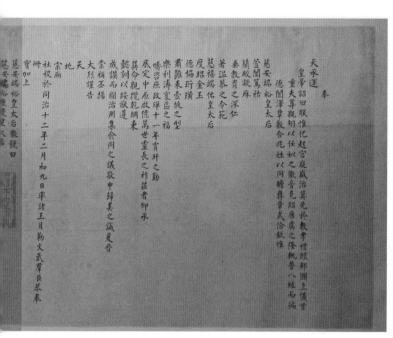

慈安慈禧兩皇太后加徽號詔書

年要整理一下皇家家譜（玉牒）時，皇帝會在「中和殿」看一下內容。最後……由於皇帝是人間重要的祭祀者，他代表百姓向神明禱告是最靈驗的！所以為求慎重，皇帝在舉行重大的祭典前，會在「中和殿」練習誦讀祝版（祭文），好在祭祀過程中，有順利的表現。還有農曆二月份「仲春」時刻，皇帝要去「先農壇」耕地，為天下農民做個表率，（其實就只是摸幾把農具做做樣子而已），在此之前也是在「中和殿」檢視一下器具、種子之類的，所以說它是「準備室」，真是一點都沒錯。

　　雖然「中和殿」只是個小小的「準備室」而已，但是建築工藝卻一點

---

5　祭天、祈穀、祈雨的祭文在「太和殿」中審閱。

都不含糊，在殿的東西方和後面三面的窗戶下，各有二段小磚牆。別小看這些磚牆，它可是以一種「磨磚對縫」的高級建築工藝所構成。顧名思義也就是每塊磚頭都打磨得平滑如鏡，相互砌疊時、要求嚴絲合縫，使得整個牆面光滑平整，類似現代的「清水模」一樣，所以對每塊磚的要求都非常嚴謹，又要整體搭配得巧奪天工，這在古代可是非常少見的，在故宮之中也不多見！

殿中的陳設算比較簡單，乾隆所寫的「允執厥中」（信守中庸之道）高掛中央，匾額之下就是皇帝御座。御座兩側的藝術品神獸，叫做「甪（音路）端」，是一種神速、又懂各種語言的神獸。據說：它日行一萬八千里，為天子帶來四方消息……古人用這種神獸，來寓意君主的聖明。在兩側是薰爐，是用來生炭火取暖的。

當我們離開這座殿宇的時候，可以發現「中和殿」的東西兩旁各有一道長階梯，由此能看到東西兩列廂房，這兩列廂房就是我們在電視劇中，時常聽到的「內庫」所在。想穿越去「借」些東西的朋友注意了……這裡雖然有些寶貝，但只是皇家生活用品性質的東西，還有一些古代的現金而已，真正價值連城的國之重寶，在「建福宮花園」的「符望閣」中，可別走錯了。

金甪端形香薰

上｜中和殿內　下｜中和殿西面廡廊

# 來考狀元吧！
## 保和殿

保和殿

　　「保和殿」是雲台上的最後一個建築物，也是三大殿的結尾之作。什麼叫「保和」？其實這兩個字有維持天地平衡的意思，用通俗的講法，就是政通人和、風調雨順。其實三大殿的命名是很有意涵的，前面兩殿的名字都有政治操作的意味在，而政治操作的目的，就是希望達到第三殿名字的意義，「永遠保持人民安康的狀態」。

在「太和殿」的兩側各有一個小宮門，來襯托「太和殿」的雄偉，在「保和殿」的兩側也各自有個小宮門，叫做「左後門」和「右後門」，它們的作用就不只是襯托了，而是一個標誌，表示臣子在「紫禁城」內的活動到此為止，沒有皇帝召見，不得繼續向北前進！但在明代時，有個皇帝召見臣子的一種制度，叫做「平台召對」，就在這兩個宮門中進行（有時也在「保和殿」前的空地進行）。你說皇帝和大臣見面有什麼了不得？需要以一個特殊名詞來稱呼它嗎？其實能被皇帝單獨召見的臣子，真的很了不起！一定是在某方面有過很傑出的表現，在明兩百多年的時間中，僅有十幾位臣子有過這樣的待遇，所以被視為一種榮耀！

曾經獲得召對的大臣，比較知名的有袁崇煥、吳三桂等等，其中有位女性非常特別，也是《二十五史》的〈將相列傳〉中，唯一載入史冊的女將——秦良玉！她在明代晚期時，以自行訓練出來的「白杆兵」在四川征戰叛亂而聞名。崇禎二年時，清軍攻擊北京，秦良玉奉詔由四川至北京城下與清軍決戰，一舉收復「永平」等四城，獲得「平台召對」殊榮，並且得到崇禎贈詩。秦良玉受此感動，直到明朝滅亡之後，仍以七十多歲的高齡為國奮戰，令人敬仰。

「保和殿」正面寬度是九間、深五間，暗合「九五至尊」之意，看起來應該很有意義的地方，但在明代似乎沒什麼特殊用途，只有在舉行大典前，皇帝在裡面換衣服而已……（開玩笑！用這麼大的空間換衣服，會不會太浪費了？）初清時期，由於後宮的三大殿有些殘破，所以順治、康熙時曾經把「保和殿」當成寢宮。順治還在「保和殿」中，舉辦過他的第一次大婚。康熙居住在此宮時，曾經懸掛「三藩」、「河務」（黃河問題）、「漕運」（水運糧食問題）三幅字帖，日夜警惕。

保和殿內

後左門

保和殿東平台

康熙年間「乾清宮」修繕完畢，皇帝搬回正式的寢宮，「保和殿」又不知道拿來幹什麼？只有搞些宴會場所的副業，例如：除夕時辦尾牙，蒙古、西藏或者外邦使臣來訪時，皇帝請人家吃飯，甚至嫁女兒時的餐會等等，直到乾隆五十四年時，「保和殿」才有正式的工作，舉辦「殿試」的固定場所（但是副業還是兼著）。

「殿試」是屬於國家級的考試，從唐高宗（西元659年）開始，一直到光緒三十年（西元1904年）為止。讀書人的最高夢想，就是能到「保和殿」中考試，得到「天子門生」的稱號！但要到這裡之前，有太多的其他考試擋在前面了，而且不是每一年都考，某些高階考試，只要錯過一次，就要等上三年才能再考！像道光年間，有個廣東三水鄉的陸雲從，102歲了還在考……更不用說70、80歲仍徘徊其中的大有人在！當然也有16歲就完成「殿試」的天才，像康熙年間的李孚青就是這樣的人物。

現在請發揮一下想像力，帶各位穿越一下……回到清朝去參加皇帝的考試！說穿就穿……咱們現在就站在自己的桌子旁了，別急著坐下來噢……要等一堆又跪又叩的儀式進行，還有皇帝老兄過來露個面，說些勉勵的場面話之後，在官員的口令之下，才能入座……揉一揉發酸的小腿之後，定眼一看題目……我昏……這是題目啊？怎麼這麼長啊？

沒錯！「殿試」的題目少則七、八百，多則一、二千字都有，怎樣、你敢有意見嗎？這可是天子出的問題呢，敢有問題就不要命了！等細細品味題目中要問的問題之後，早餐也端上來了。考試還供餐？是啊！還有午餐等著你呢……雖然餐食不怎麼樣，只是茶水、饅頭之類的，還是要感謝天恩啊。考試時間大約從早上七、八點到下午四五點，中間想上廁所怎麼辦？沒關係……可以請別人代看一下，出殿去，自然會有人帶領你出恭。

不過找別人看也要找對人，像道光二十七年，有位徐樹銘的考生，看到旁邊有一個年輕人閒得沒事，就拉他來代看一下……後來才知道他是未來的咸豐皇帝！兩位就因為這個廁所交情，使得徐樹銘日後平步青雲，做到工部尚書。

你可別說：現代人放到古代，哪一個不是學富五車，長篇大論的回答問題，那有什麼困難？先數一數自己桌上的答案紙吧，只有八張，扣除一些必須留白的空格，只有1980個字格可以寫問題，所以就必須斟字酌句，而且不能塗改！因此要先在另外的紙上草稿，然後再正式書寫在答案紙上。這個步驟異常重要！有時內容不是重點，字寫得好看才能得到審閱官的青睞。審閱官有八個，得到某一個閱官的讚賞，就可以得到閱官在卷上畫一個圈圈，獲得的圈圈越多，越有當狀元的可能性。考試完畢、審閱官依據評分圈圈的多寡順序，排列給皇帝御覽，所以能得到八個圈圈，就能排在皇帝御覽的第一個，言下之意就是所有的審閱官共同推薦這個人是狀元！當然皇帝擁有決定狀元、榜眼、探花名次的最終決定權！

有人說：在皇帝決定三鼎甲的時候，祖上有沒有積德？名字取得好不好？成了最重要的關鍵！例如：嘉靖二十七年「殿試」的第一名叫吳情，因為與無情同音，痛失狀元榜首。光緒二十九年，有個王壽彭的考生，因為適逢慈禧七十大壽，被提升成狀元[6]，來祝願老佛爺如彭祖八百歲高壽！還有一個朱汝珍的，但是他姓明朝的姓，又是慈禧討厭的廣東人，再加一個不愉快的「珍」字，因此被拔掉狀元的身分，這時慈禧看到一個叫劉春霖的名字，一想：「春霖就是下雨的意思，正好現在大旱，這名字叫

---

6　王壽彭曾為這件事，寫過一首詩：「有人說我是偶然，我說偶然亦甚難，世上縱有偶然事，豈能偶然再偶然。」他中第之後，被派往日本考察，接觸西洋事物。後任山東大學校長，對中西合並教育，做出傑出貢獻。

劉春霖，古祥福瑞⋯⋯」於是直接點了狀元，這樣劉春霖就當了中國最後一個狀元。所以肚中有墨水，不如字寫得好、字寫得好，不如名字取好！[7]

您覺得考完「殿試」就能當大官，享受榮華富貴了嗎？還早的呢！除非滿足於當個縣令這樣的小官，想要當大官就得繼續賴在京城中，參加「翰林院」的「朝考」（入學試），經過三年後通過「散館」（畢業考），然後努力爭取皇帝旁邊的「侍讀」、「侍講」等等職位，增加在天子面前露臉的機會，才有機會和大官沾一點邊⋯⋯

回到現實，「保和殿」的室內陳設比較簡單，殿中大片空地的主要原因，是為了不同的目的而有不同的布置，所以只有御座、龍椅和乾隆御筆的「皇建有極」匾而已。三大殿已經全部介紹完畢後，在步下北端雲台的同時，一方「雲龍大石雕」成為宏偉雲台的結尾之作！這塊長16.75公尺、寬3.07公尺、厚1.7公尺，重約200噸的巨石，是明代永樂年間製作，而且是一體成形雕刻而成！六百年的時光之中，只有乾隆年間曾經整修一次，是紫禁城內最大單體建築素材。

這個200噸、20萬公斤的傢伙，放到今天也沒幾台起重機能搬得動，六百年前的工匠是怎樣搬來的呢？學者認為是：從三十公里外的房山開始，每隔一里挖一口井，利用寒冬季節，潑水在地上成冰，然後將巨石放在冰上滑過來的。據說這塊大石到了紫禁城大門口時，硬是不肯進去，後來永樂皇帝下令，打了它六十軍棍，才乖乖就定位。

---

7　當時科舉制度中，所有閱卷過程中，姓名都是密封的，只有決定名次之後才揭開姓氏。因此以名字的好壞來決定中舉否，僅是鄉野傳說。

保合殿雲龍大石雕

其實在雲台的南北兩端，都有一個巨大的「丹陛石」，「太和殿」前「丹陛石」，是由數塊巨古拼接而成，而現在的「雲龍大石雕」則由一整塊石頭一體成型的。這兩塊石頭上都雕刻著精美細緻的龍、做飛騰在翻湧的海水上。也許您會問為什麼不將南方的「丹陛石」做成一體成型，而要安排在北方？其實這是站在我們觀光客的角度去想事情，而不是站在皇帝的角度去看事物。因為皇帝是生活在紫禁城北面的內廷之中，所以當他離開內廷要前往雲台上的三大殿時，走的就是北方的「丹陛石」，因此這塊「雲龍大石雕」安排在北方，是給皇帝欣賞的。可以發現大石雕的兩側各有一道小階梯，那是給抬皇帝的轎夫走的，這些轎夫都是用太監充當，平時都經過嚴格的訓練，練習的方式是在轎中放一盆水，數十人抬轎時，那盆水不灑出一滴才合格。

這樣的「丹陛石」其實並不罕見，我們時常可以在廟宇的正殿前

看到，老一輩告戒我們這塊石頭不能碰，更不能在上面玩，為什麼？這是因為中國文化中很崇敬龍，傳說中龍平時很溫馴，但它喉嚨的地方有塊鱗甲是反方向長的，叫做「逆鱗」，那是龍致命的弱點所在，如果碰觸到了龍必暴起！所以古書中，常說讓皇帝生氣的罪，叫做「逆鱗之罪」。

而在建築物上，如果主建築是象徵龍首的話，它的下首這塊「丹陛石」，就是象徵龍的「逆鱗」所以不能輕易碰觸，至於皇帝是真龍天子，自然百無禁忌。介紹到這裡，紫禁城代表性的建築物，前朝三大殿已經全部完畢了，接下來我們要進入皇帝的生活區了。

# 韋小寶戲擒鰲拜
## ——乾清門

乾清門廣場

## 乾清門廣場

　　走下「保和殿」的台階後，基本上中軸線上的前半部已經走完了。在「紫禁城」的結構中，眼前的「乾清門」是一個分界。之前介紹的地方，都是屬於公務性質的「外朝」，從現在的廣場以北是皇帝的私人領域，叫做「內廷」。在這個廣場的東側有「景運門」，西邊有「隆宗門」與正中北面的「乾清門」共同形成一個廣場，被稱為「乾清門廣場」。

廣場的西側靠北有一列廂房，從東到西分別是「侍衛值房」、「軍機處」、「內務府值房」，其中尤其是以「軍機處」最為重要！它由皇帝最重要的大臣所組成的班底，稱為「軍機大臣」，專門負責處理最重要的事情！其歷史從雍正時期開始，貫穿整個清代，是所謂的快速處理中心。現今這三個房間現在已經整個打通，成了一個展覽空間了。它的斜對面的是「軍機章京值房」，也就是「軍機大臣」的助理辦公室。

　　廣場的東側靠北、也有一列廂房，從東到西分別是「侍衛值房」、「九卿房」、「散秩大臣值房」和「外奏事處」。所謂的「九卿房」，就是有事要朝見皇帝的臣子，在此等待皇帝召見的地方。而「外奏事處」是接收「奏摺」的地方，也就是臣子將要報告的事情，放入一個盒子鎖上，呈給皇帝知悉的一種方式，也稱為「密摺」。「外奏事處」接到「奏摺」之後轉送進「乾清宮」內的「內奏事處」，再呈到皇帝桌上，這時候皇帝才以專門的鑰匙打開盒子看到「奏摺」。現在這一系列的房間也完全打通，成了一個展覽空間了。

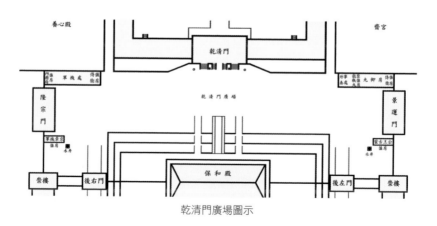

乾清門廣場圖示

「外奏事處」的斜對面，在「景運門」靠南的房間是「蒙古王公值房」，換句話說：是宗室王公和蒙古王公的值班房，別小看這個不起眼的小房子，可以看到它的旁邊有個「井亭」，可以讓他們取水方便，這在當時可是給王公們的特殊待遇呢！有這種禮遇的，只有另一側的「隆宗門」的「軍機章京值房」才有，其他在紫禁城內的值班人員可都沒有呢。

## 乾清門

從「乾清門」向北開始的區域，都是屬於皇帝的私宅了！也就是從這裡開始，在前面所看到什麼、什麼「殿」，要換成什麼、什麼「宮」了。這是因為「殿」這個字，有公務的性質，所以「外朝」的建築物都是「殿」。而「宮」是指帝王和家族們的生活區域，因此在「內廷」之中的建築物，大部分以「宮」為名。

「乾清門」門前有一對鎏金銅獅，這可是用了330兩黃金，渡了五遍而成的。仔細看它一雙耳朵垂下來，眉毛又長到幾乎把眼睛給蓋了，是不是很可愛？為什麼這裡的銅獅是如此造型？這就抱歉了，沒有正式文獻紀錄，有種說法說：「這是告誡後宮女子，非禮勿聽、非禮勿視」（那非禮勿言呢？），但是後宮的女人根本不可能會經過這裡，所以這樣的說法不對！那為什麼會這樣的造型呢？具體的原因已經失傳了，不過由於它製作得非常精巧，所以有它是機器人的說法。據說有次康熙早朝時，很早就到了這裡，看到銅獅在廣場上走來走去……這對銅獅還有一個有趣的地方，就是「乾清門」的東邊的公獅子稍前了一些，據說是有位曹姓侍衛，為了誇耀他的力量，把它向前搬動了一些。如果是真的，他也不怕他的腦袋被皇帝也搬動一下。

這裡是清代「御門聽政」的地方，也就是皇帝和大臣討論公務的一種

方式，這個制度從順治開始，到康熙皇帝時期達到最高潮！他一生除非必要，一定準時七點十五分（冬天八點十五分）在這處理公事，從十四歲開始風雨無阻、至老不改，雖然大臣們叫苦連天，多次上奏請求稍緩一下，但在康熙堅持之下，還是照常舉行……當時開會的方式是這樣

乾清門前銅獅

的：門內的左側（東邊）是各部門主管的位置，右側是皇帝智囊團的地方負責記錄，開會時間大約兩小時，就這樣天天開會，開了六十年！清代也因為玄燁如此的勤奮，為兩百年的歷史打下了穩定的基礎。這個制度在康熙之後逐漸不再舉辦，到了咸豐時就完全廢止，成了歷史名詞。

## 乾清門內四周

進入「乾清門」之後，眼前壯麗的宮殿，就是明代皇帝的寢宮——「乾清宮」！到了清代時，這裡的四周廂房都具有特殊的功能，不可不知！首先在西南方向的一排房子，分別是「侍衛值房」、「敬事房」和「南書房」。

所謂的「敬事房」的真正名字叫「宮殿監辦事處」，屬「內務府」管理，主要的業務是管理皇帝的大小私事；和宮女太監的人事方面。至於想像中……香豔的「翻牌子」[8]活動，雖然也是「敬事房」的工作之一，但不

---

8　皇帝用完晚餐之後，總管太監就奉上一個大銀盤，裡面盛了幾十塊牌子，每塊牌子正式的名字叫齋牌，上都寫著一個妃子的姓名和簡單寫著專長，例如音樂等等。

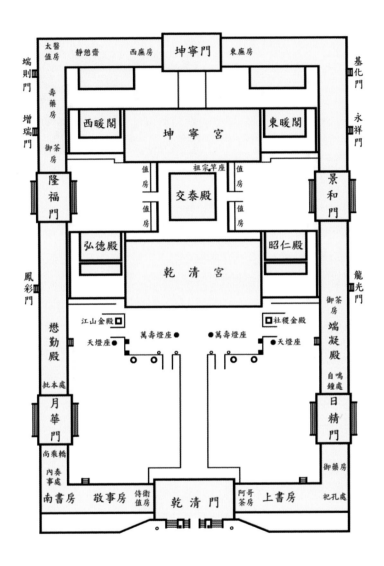

乾清宮區圖示

是主要的工作，而且這裡只是一個辦公室，真正的總部在「北五所」內。

這排房子拐角的地方是「南書房」故址，那裡就是金庸小說中，韋小寶施展擒拿手戲擒鰲拜的地方（一說在「武英殿」）。在這裡曾經發生過一個笑話：在乾隆年間，有個翰林叫于敏中（一說何焯），一次在房中脫口而出稱呼乾隆「老頭子」！不料被皇帝聽到了，乾隆非常不高興地叫于敏中解釋清楚，什麼叫「老頭子」？要知道這句話可以用「大不敬」之罪論處，殺頭都有可能！

于敏中不愧名字有個「敏」字，馬上跟天子說：「萬壽無疆曰老、首出庶物曰頭、父天地母曰子。」意思是「老頭子」這三個字只能天子可以用。果然乾隆聽後大喜！這位老哥之後節節高升，做到尚書（部長）累官至大學士，都是他的機智反應贏得皇帝的好感。後來這個故事被張冠李戴成了紀曉嵐，而且還加油添醋說他邊說邊比中指，解釋說：「……天地君親師，因為您是君，所以您是這一隻。」

從南書房向北的房間，叫「內奏事處」，是接收「外奏事處」報告的地方。明代超級大壞蛋——魏忠賢，當年就是在「內奏事處」上班發號施令、荼毒天下！繼續向北延伸可以看到一個出入口，那是通往「養心殿」的「月華門」。再沿伸過去的建築物是「批本處」，是專門收發內閣的奏章（「題本」、「奏本」），以及翻譯滿文的地方。可以看到再過去有個台階的地方，叫做「懋勤殿」，是收藏圖書文具的地方，有時也兼皇帝上課的場所。對於準備「秋決」的罪犯而言，那裡是也是閻羅殿，決定生死的地方。

在清代的刑制中，從每年的四月開始，對判處死刑尚未執行的案犯，

再行最後一次審議就叫「秋決」。內容分為「情實」、「緩決」、「可矜」、「可疑」四類。到了秋天八月時，刑部會同大理寺等，對上述原判死刑的四類案件集中審核，造冊提出意見，最後奏請皇帝裁決。皇帝會在「懋勤殿」中審視名冊，如果皇帝在名冊中的某個名字上打勾，那就表示被勾選到名字的人，會被執行死刑，如同閻王殿的勾勒。當然天子為了要表現仁愛的心態，通常只會勾幾個而已，所以犯人都會想盡辦法，塞紅包把名字往後一點，沒有被勾到就變成「緩決」。「緩決」如果連續了三次，就可以免死罪，減輕發落。如果是「可矜」，也可以免死減刑等發落。如果被認為「可疑」的則退回各省重新審理。在雍正時期，還增加了一種叫做「留養承祀」的減輕發落的方式，條件是：如果死囚犯是獨生子，處死之後其父母和祖父母就無人供養、送終，經過皇帝批准，可以改判重杖一頓再枷號示眾三個月，免掉了死罪，但是這種「留養承祀」在實際情況中較為罕見。

「乾清門」內東邊的一排房子，由西向東是「阿哥茶房」、「上書

侍衛值房和敬事房原址

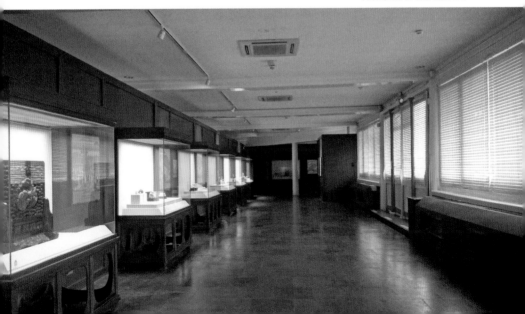

房」、「祀孔處」。其中最知名的就是電視劇中時常聽到的「上書房」，是皇子們的教室[9]。作為清代皇帝的兒子們比較倒楣，六歲開始就要到「上書房」學習，而且每天學習的時間非常長，通常凌晨五點左右開始上課（所以三點就起床了），一直到下午六點左右才放學，中間每兩小時僅休息十五分鐘。一年只有三節、老爸和自己生日這幾天才放假。最慘的是……不知道讀到什麼時候才畢業……像道光皇帝唸了三十多年才畢業，真是超人啊！

這麼長的時間唸什麼？基本上在「上書房」的學生，都是未來皇帝的候選人，為了培養文能安邦、武可定國，一人治天下的能力，所以什麼說得出的經典、漢、滿、蒙、回、藏文，還有書法、詩賦、武藝等等（例如乾隆就是使槍的高手）都是學習的目標，總之是學無止境啊！「上書房」前的廣場，則是皇子們下午學習武藝的練武場。

「乾清宮」的東側有一個出入口，那是和「月華門」相對的「日精門」。再向北一樣可以看到一個台階的地方，是「端凝殿」的所在，是皇帝的衣帽間。可惜的是目前東西兩端的房間內，已經打通改裝成展區，陳列一些文物了，所以剛剛所說的房間已成為歷史雲煙，不復存在了。

---

9　乾清宮前的「上書房」是雍正即位之後，才由故宮西南角落方向，遷移到現址。

# 謀殺皇帝啊！
# 乾清宮

乾清宮外觀（豎立了萬壽燈和天燈）

　　「乾清宮」四周的廂房都是為了皇帝的工作與生活
而存在，所以它們如同眾星一般拱衛著「乾清宮」，而
「乾清宮」在紫禁城的地位中也值得被拱衛著，因為在
神話中，這裡和其後的「坤寧宮」分別代表天上「紫微
垣」內的「帝星」和「后星」，是天空中最核心的地方！
投射到生活功能時，「乾清宮」是皇帝的寢宮，「坤寧
宮」是皇后的寢宮。到了清代時這兩座宮殿有了重大的
變化，但名義上它們還是帝后的正宮，一些重要典禮還
是在當中舉辦。

從「乾清門」到「乾清宮」之間有個高出地面的平台叫做「月台」，這種建築是因為古人會在這裡欣賞月色，所以叫「月台」。在「月台」接近「乾清宮」前的「丹陛石」附近，在地面上有個小門叫做「老虎洞」，是給宮女太監通行，貫穿「月台」的兩側的，也是東西六宮的太監宮往來最近的一條路，明朝的天啓皇帝最喜歡躲在這裡玩。

「月台」接近「乾清宮」前的時候，變成一個平台，在這個平台上除了看到和「太和殿」前的龜鶴等四個物品外，在接近中央的兩邊，還能看到兩個製工精美的石墩，其實在平台兩側的坡道下還有另外兩個石墩，所以共有四個石墩。在平台上的石墩，是過年時豎立「萬壽燈」的基座，同時在平台下的是豎立「天燈」的地方，不過這個習俗從道光二十年之後就取消了，直到清朝退出歷史舞台，都沒有再現。倒是2019年農曆元旦時，故宮有按照紀錄，複製「萬壽燈」和「天燈」，可惜人事已非了。

從地面上的「天燈」座向中央「月台」兩側，大家可以看到各有一個金色的小殿宇，西邊叫「江山金殿」、東邊叫「社稷金殿」。別小看這兩個小東西，它們被算入紫禁城的宮殿群中，不過不是給人住，而是給是給「江山社稷」之神住的，算是故宮最小的宮殿了。

仔細看！它們是銅製然後鍍上黃金的殿宇，雖然很小但是上面的一磚一瓦、一門一窗都刻劃的異常精細，就連每個門板上的團龍和四周的寶相花等等細部描繪，都不放過一絲一毫的雕刻出來，就像用未來的科技縮小似的，再想想看這是在金屬上的作品，就知道是多麼不容易了！這兩個金殿被各自安放在一個三層漢白玉的座台上，可以注意到每層座台上的頂部四周都有凹槽，作用是下雨時集中排放的。當雨水順著座台四面的海水圖案線路被排放時，雨水和海紋兩者融為一體，堪稱絕妙設計！

它的底部向南方有門，是讓持事人員進入上香的。這個象徵皇權至高無上的神殿，從順治十三年設立以來，直到溥儀被趕出故宮為止，香火一直不斷，祈求著風調雨順、國泰民安。最後可以注意金殿座台被一圈欄杆包圍，它有十二個柱頭象徵十二個月。柱頭上以石獅裝飾，有公獅也有母獅，可以發現有些母獅身上的幼獅相當調皮，在媽媽身上跑上流竄下的，這叫「戲獅」，和喜事諧音，象徵著一年十二個月好事不斷。

現在看到的這座「乾清宮」是嘉慶三年重建的。這座宮殿在明代時，是專門做為皇帝的寢宮，但到了清雍正開始，皇帝把寢宮搬到「養心殿」去了，所以改變了它的用途。在朱王朝時，關於「乾清宮」內的布局的紀錄非常的稀少！僅有明武宗時，有個叫張合的人，在他的著作《宙載》中有提到：宮中有上下二層樓，共有二十七張床舖供皇帝睡覺。為什麼皇帝一個人休息要那麼多張床？恐怕是讓刺客摸不清萬歲爺躺在那裡吧。但這樣的措施防得了刺客，卻防不了身邊伺候的人！

社稷金殿

那是西元1542年，嘉靖二十一年十月二十一日時，以楊金英為首的十六名宮女，聯合起來謀殺嘉靖！為什麼這些平時柔順的女孩子，會一起殺害皇帝呢？有人說：她們不堪萬歲爺派她們去採集清晨露水的苦役，有人說：她們受不了自己的經血被嘉靖收集去練丹藥，覺得非常屈辱！所以共同要殺害暴君。不管理由是什麼，那一夜，她們抱著不

明世宗

惜被滅族的心理，趁嘉靖熟睡將繩子套在他的脖子上……可能是因為過程中太緊張了，宮女們在繩套打了個死結，所以怎麼樣也收不緊繩子，因此留下皇帝的一口氣……這時突然其中一個宮女背叛了同夥，跑去報告皇后帶人來救了嘉靖，這就是歷史上有名的「壬寅宮變」。這件事件影響巨大，不但嘉靖皇帝不敢再住在「乾清宮」內，連之後嬪妃侍寢的規矩都改了……

「乾清宮」到了雍正即位當天，就改變了原始用途，由一個純粹的私人空間變成了一個半公務的場所，某些特殊的臣子在元旦、冬至和皇帝生日的那一天，可以踏入「乾清宮」內向天子朝賀，然後皇帝也會在宮中賜宴這些親密的近臣，這在明代是沒有發生的。清代的皇帝有時也會在「乾清宮」舉辦個家庭小宴會，聯絡一下彼此的感情。提到宴會，就不能不提康熙六十一年，中國歷史上第一次有人執政超過六十年！康熙為了慶祝這個空前的紀錄，就在「乾清宮」辦了一次「千叟宴」，當時邀請了660個超過六十歲的老人共聚一堂，歡樂渡過了一個值得在史書上被記下的夜晚。

宮內中央高懸著一塊「正大光明」的匾額，恐怕是一般民眾經由影視

乾清宮內

作品，最為熟知的一個場景。這塊文物上的四個字是南宋朱熹，取自《易經》中的兩篇章節的各兩個字所結合而成的。清代的順治寫下這塊匾額之後，經過數次更換，現在看到的是嘉慶臨摹順治筆跡的作品（乾隆也曾臨摹這塊匾額懸掛，不過後來被火災毀了）。

　　雍正時期曾經在這塊匾額上設立「祕密建儲」制度，也就是廢止了「太子」的制度，然後將下一任繼位的名字，放入「建儲匣」中藏在「正大光明」的匾額後，等將來打開來看。但這個方式似乎不太好用，因為種種原因，真的像這樣從匾後取下遺詔的史事非常少。乾隆之後的嘉慶，皇位是直接從老爸那兒禪位的，而道光的「建儲匣」則是被一個太監祕密收藏的。咸豐皇帝的繼位，是道光死前公開的，所以真正在匾後取下「傳位遺詔」的，僅有乾隆而已。之後的同治、光緒、宣統，因為只有他一個兒

子，或者根本沒後代，所以也沒有「祕密建儲」的必要，大部分都是那位老太婆說了算！

「正大光明」的匾額下，有五條金龍和皇帝的御座。在這裡有個非常特別的設計，就是冬至這天，因為陽光在北半球的角度最低，所以能射入「乾清宮」最深處的金磚上，然後反射到龍椅、五條金龍和匾額上，將這些地方籠罩成一片金光之中，使得坐在上面的天子，看起來有著耀眼的光芒、令人不敢逼視。這樣的設計，可以說將天文知識融合上光學、建築，反映到神學上，堪稱建築物上的最佳典範！

「乾清宮」內的東西兩側是東西暖閣，現在仍是封閉中，看不到，不過可以欣賞一下兩邊的「紫檀雲龍大木櫃」，這是一種用珍稀的木料所製作的家具。關於這種木頭有「十檀九空」之說，也就是一塊木材上只有15%的面積能用。「乾清宮」中的紫檀木櫃，能使用如此大面積的材料，真是舉世罕見！內行人看到這樣的木櫃，無不驚訝到下巴都掉下來了！基本上這樣的木料在清代已經絕跡，所以清朝使用的紫檀木，大都是明代遺留下的材料。

「乾清宮」的兩側各有一組封閉的小區域，就是西側的「弘德殿」，和東側的「昭仁殿」。「弘德殿」是皇帝辦理政務和讀書的地方，康熙皇帝時期，他每天大約十一點開始，在「起居注官」的安排下，有兩個小時的時間，會到這裡上課稱為「日講」。康熙是個學習狂，他每天都到這裡上課，哪怕三藩作亂時間也從不間斷。「昭仁殿」在明時的用途不明，崇禎皇帝曾在滅國時，在這裡殺害六歲的昭仁公主。到了清代時「昭仁殿」成為皇帝個人收集藏書的地方。乾隆曾經在殿中收藏了自宋開始的各種文學作品，極其珍貴難得！稱為「天祿琳琅」。這套書籍經過近代戰亂，目

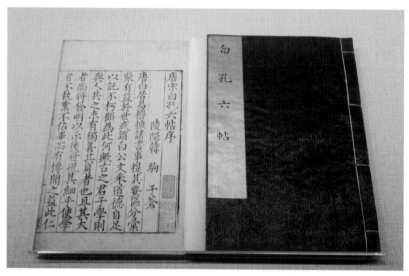

前有311部在台北故宮博物院中，其他散落在遼寧省圖書館、國家圖書館以及其他私人收藏。

「乾清宮」和「昭仁殿」、「弘德殿」之間有個夾道，是通往「坤寧宮」的必經之途。在東側的夾道中有個小門是「昭仁殿」的入口，當年發狂的崇禎皇帝，在國破之時，就是從這裡進去，將親生女兒殺死，也是在同一天，韋小寶的師父，也被崇禎斬斷了一隻左手，成了獨臂神尼，開始浪跡天涯的生活[10]。由這個夾道可以通往皇后的「交泰殿」。

---

10 崇禎長公主——朱媺娖在正史中斷臂未死，明亡之後，清順治將她嫁給周顯，完成之前的婚約。但是不久就逝世了，清廷謚號：長平公主。

# 皇后的主場
## ——交泰殿

「乾清宮」是所謂的後三宮的第一個宮殿，「坤寧宮」是第三個宮殿，兩者之間是第二個宮殿叫「交泰殿」。之前曾經介紹說「宮」通常是指生活領域的地方，而「殿」則含有公務的功能，所以在一片什麼宮的「內廷」中，「交泰殿」的名字就顯得突出，因為它是皇后處理後宮事務的地方，尤其在明代時，這個功能特別明顯。到了清代時，「交泰殿」的功能依然和皇后有關，我們可以從「交泰殿」的彩繪上，可以看到鳳在上、龍在下的紋飾，就知道皇后在這裡的權威性了。

每年的元旦和冬至後的第二天，還有生日這一天，皇后在莊嚴的音樂聲中，要在這裡接受後宮嬪妃以及其他貴婦行「六肅三跪三

清-金嵌珍珠皇后冬朝冠

拜」的大禮朝拜。所謂的「六肅」是指三次下跪前和後，都要整理服裝儀容然後拜下……如此三次所以要六次整理。至於「三跪三拜」可以從字意上理解，就不多解釋了。由這個建築物可以看到皇后在後宮中的威儀，所以像電視劇中，後宮某位妃子跟皇后對著幹，基本上不太可能，因為萬一得罪了皇后，受到什麼處罰，到時就連皇帝也救不了妳啊！

「交泰殿」內的正上方，有塊「無為」的匾額，那是乾隆臨摹康熙的筆跡所寫的。所謂的「無為」可不是叫皇帝啥事不幹，而是要天子體順天意，依勢導利統治人民。「無為」匾的下面有寶座，它的後面和兩側有二十五個用明黃布蓋著的物品，裡面各有一個寶匣，每個寶匣之中都有一顆印璽，是乾隆時整理之前功能重覆的印璽，所定制的「二十五璽」，用於發布詔令、軍事、司法、教育、宗教和賞賜臣下等等時使用。印璽本身除了「皇帝之寶」是檀香木所製、「大清嗣天子之寶」是金質外，其他都是上等玉料製的。璽文內容除了青玉的「皇帝之寶」是滿文外（「皇帝

之寶」有兩顆），其他璽文是滿漢文並列。乾隆在整理這些印璽時，曾經有個心願：希望王朝能夠傳二十五代，沒想到連他在內，僅有十位帝王而已……

　　有趣的是……大家看寶座的正後方，有塊空間顯得有些突兀。其實在乾隆之前，原本也有一個玉璽寶匣在這裡，裡面的印章，是他的祖先──努爾哈赤在蒙古草原上撿到的。這顆印章據說是中國的至尊瑰寶，叫做「傳國秦璽」！是秦始皇以「和氏璧」改造而成的神璽。這塊秦璽像西洋的「石中劍」一樣，認為誰能得到它，誰就可以自立為帝。當年努爾哈赤得到秦璽之後，他的人民相信努爾哈赤是天上認定的統治者，從而堅決的支持他的革命，進而建立了清朝，但乾隆後來檢視認為是偽造的，所以從「交泰殿」中移出了。相信他也不敢進一步研究：是不是當年先祖偽造出來，欺騙人民的吧？

　　殿內的西邊有個閣樓式的「自鳴鐘」，高556.8公分、寬221公分、厚178公分，是嘉慶二年時製作（原萬曆年間的鐘毀於火災）。這個鐘是「乾清宮」的報時工具，每月只要上發條一次，數十年準確無誤，據說現在還能使用。它的對面是「銅壺滴漏」，是乾隆十年所製的計時器，屬於比較

大清受命之寶　　　　　　皇帝之寶　　　　　　滿文皇帝之寶

傳統的時鐘，中國以這樣的方式來計算時間，有三千年的歷史了，它以定量的水流速度來計算時間。在下方第三個斗狀的下方，有個人形，手中捧著一條立牌，這個立牌可以隨著水量的逐漸加多，而慢慢升起牌的高度，當時的人們就是看牌上的刻度，來知道現在的時間，而且這個立牌可以因應不同季節的日照長短而更換。

離開「交泰殿」在前往「坤寧宮」的同時，可以注意到東西兩側的台基下，有許多南北走向的矮房，是當年宮女、太監的值班室，現在成了清潔人員，放置工具的地方了。

# 每日大拜拜的
坤寧宮

　　「交泰殿」和「坤寧宮」距離很近，沒走幾步就到了。這裡是明清兩代皇后的寢宮，其實這樣的說法，對，也不對……在明代時的確是這樣，但在順治十二年後，「坤寧宮」內有一半以上的面積，被改成滿州薩滿教的祭祀地方，貴為一國之母的皇后，起居空間大幅縮小，所以從雍正的皇后開始，寢宮乾脆搬到別的地方了，因此真正住在這裡的皇后，只有順治的第二任皇后，和康熙的兩個皇后曾經住過這裡，之後的其他國母就另擇他處了。

坤寧宮外觀

坤寧宮前索羅杆子石墩

雖然如此，「坤寧宮」畢竟在名義上還是皇后的正式寢宮，所以在與皇帝大婚的頭兩天，還是在這裡渡過新婚燕爾的時光。當然這有個先決條件，就是皇帝即位前沒結過婚，因此在清代的歷史中，除了順治皇后外，只有康熙、同治和光緒的皇后，享受過這個待遇（宣統大婚時，已經民國了），其他的只有望宮興嘆了。所以我說對也不對。

「坤寧宮」之前有一塊方石，這塊方石是用來固定一根高杆的基石。這根桿子是滿州薩滿教的神杆，叫做「索羅杆子」，當時人稱「祖宗杆子」。滿州人家家戶戶都會在家宅大門的東南方向，豎立這樣的杆子，所以有看到大門前有這種杆子的，就知道這戶人家必是滿人。

這根杆子對滿人而言，非常的神聖，平時連杆影都不准接觸跨越。祭祀的規矩也很多。這根杆頂上有個方形容器，裡面裝得是米和切碎的豬內臟（或肉），用來餵食滿人的神鳥——烏鴉（或喜鵲），因為烏鴉曾經救過他們的祖先——努爾哈赤[11]。傳說是這樣的，有次努爾哈赤逃避敵人追殺，在長時間的逃亡之後，身旁的衛士也一一犧牲了，最後精疲力盡地倒在一棵樹下，準備束手待斃。這時一群烏鴉飛來撲在他身上，追擊的敵人雖然看見了，但以為這是一具死了很久的屍體，因為烏鴉是吃腐肉的，不會是剛剛在追的努爾哈赤，所以路過了他的身旁繼續向前追趕，因此努爾哈赤逃過一劫，從此滿人立了這根「索羅杆子」，來紀念感恩烏鴉的功勳。「坤寧宮」前的杆子因為時光的磨蝕，現在僅剩基石讓人憑吊了。

---

11 這個故事的主人有多個說法，有說是始祖——布庫里雍順，也有一說是凡察。

從中軸線一路走來，到了「坤寧宮」前時，可以發現它的門沒開在正中央，而是開在偏東側，這是滿族屋子的特色，叫做「口袋房」。而且它的窗戶形式也不一樣，這也是滿族房屋的特色，叫「吊搭床」。現在看到「坤寧宮」南向的玻璃是當年奢侈的代表，不是為了觀光客特別改裝的。你說玻璃有什麼了不起，我家玻璃門窗也一大堆！那是我們現代玻璃普及、便宜了，但在當年的玻璃價格可是非常昂貴，每平方公尺要價十五兩白銀，「坤寧宮」使用的窗戶玻璃費用，足夠民間一般百姓生活數年了！乾隆晚期時，故宮內開始使用進口的玻璃，裝飾宮內少數幾個地方。故宮開放參觀後，怕老玻璃被觀光客擠破，才換成硬度較佳的現代玻璃。

宮的最西側有個神祕的空間，它雖然是「坤寧宮」的一部分，卻完全和宮中任何地方隔絕！南方開了一個像窗戶又像門的結構……根據老照片顯示，它前面以前有個木梯，可能登上進入裡面，內部推測是存放祭祀用品的地方。其他宮中的布置可以透過玻璃看到裡面的布局。

「坤寧宮」內的正中央是個廚房，裡面有三口大鍋，其中兩鍋分別處理各一隻豬，另有一鍋蒸「切糕」，都是儀式進行時所需的祭品。再往西側看，「坤寧宮」北炕上供奉有三個薩滿教的神明，其中有兩個是神偶，另一個是畫像，都是滿人在熔合各族派時，所合祠在一起的產物，被統稱為「窩車庫」（weceku，祖靈的意思）。其中一個神偶叫「喀屯諾延」（Katun noyan，蒙古神），是原本居住在松花江和牡丹江流域的女真人所信奉的保護神。另一是「穆哩罕」（Murigan）神偶，是黑龍江以北的女真人所供奉的山神。最後一個是畫像，滿語叫Nirugan，上面畫的是滿人共同祖先，包括肇祖原皇帝猛哥貼木兒、興祖直皇帝福滿、景祖翼皇帝覺昌安等等七位。

宮內的西牆壁有個神龕，供奉釋迦牟尼佛、觀世音菩薩、關聖帝君。不過在進行薩滿儀式時，因為會使用到葷腥，所以佛教的神明會暫時移開，僅留下關聖帝君。順帶一提⋯⋯滿州人酷愛明代小說《三國演義》，把小說中的情節，甚至變成一種軍事的基本教材，（皇太極曾引用「蔣幹盜書」一節，讓崇禎皇帝錯殺袁崇煥），而書中所描述的關羽，被滿州人神格化稱為「關瑪法」（滿語：老爺的意思），成為滿人的護國神。

在這個神龕和「窩車庫」之前有許多的坐墊，是大臣們吃「胙肉」的地方，帝后則在南邊（有玻璃的這一面）的炕上吃「胙肉」。所謂的「胙肉」就是水煮肉，就是從剛才的廚房煮出來的豬肉，不加任何調味料，以紀念先人辛苦的狩獵生活。由於當時是現殺現煮現吃，味道真有點難以下嚥，所以有些人偷藏一點鹽，加上去增加些味道。其實這是對神靈的不敬，如果被發現會受到嚴厲的處罰！電視劇《延禧攻略》的女主角，就是利用這一點，陷害壞人的。

由於肉很多，少則二頭豬、多的時候到二十幾頭豬，參與祭祀的人員根本吃不完。吃不完？沒關係⋯⋯可以打包回去分享給家人。這些王公大臣含著眼淚、帶著感激的臉色，帶回去之後還不是丟給下人。乾隆年間、定王府裡的一個值班室，裡面的工作人員，就是時常接到老板丟過來的「胙肉」，後來用這些肉開了一家「砂鍋居」的店鋪，可見得每一家所分到的肉真不少！由於當時的人們相信，吃這種肉會帶來好運，因此生意好到還在北京還形成一句俗諺，叫：「砂鍋居的買賣，過時不候！」

「坤寧宮」東邊是「東暖閣」是皇帝大婚的喜房。這個喜房只有康熙、同治和光緒使用過，尤其是光緒的大婚，當年可是花了500萬兩白銀的預算，約合110億台幣左右，同治大婚時更誇張，用了240億台幣（1100

坤寧宮內廚房

坤寧宮內神偶和畫像神

萬兩白銀）。用這麼多錢來辦婚禮，當然超級豪華的！現在流傳於世的，有套八大冊的《大婚典禮全圖冊》，可以遙想那時光緒結婚的盛況。在喜房內的南方柱子上掛著一把刀，你說在人家洞房花燭夜的地方，弄把刀是什麼意思？其實這是滿人以武立國的習俗，用寶刀來象徵鎮守小孩的健康。在我們看不到的柱身另一面，和寶刀一起懸掛的，原本有一個皮袋，裡面裝著「換鎖」下來的「長命鎖」。如今因為年久腐壞，皮袋已不復見了。

「東暖閣」的西側可以看到「喜床」，以大紅錦緞做底，用金線繡上雙喜、龍、鳳、彩雲等等圖案，床上有一條金色的被子，上面也繡著一百個孩童嬉戲的樣子，這當然是祝願皇帝百子千孫！事實上大家都知道同

坤寧宮內-喜房

治和光緒沒有後代，而且婚姻也不圓滿，這條五彩金色百子被只是諷刺啊……

「喜床」旁是皇帝的寶座，一樣是充滿喜慶的大紅顏色，來做主視覺。寶座上是嘉慶仿老爸筆跡所寫的「坤寧宮銘」。可以很明顯的看「喜床」和寶座上，另有一層建築，這叫「仙樓」，主要是供奉神佛的地方。在佛像的下面來洞房花燭夜，只能說滿州人的習俗怪怪的，也只能解釋成希望得到神明的祝福吧……也不知道是不是這樣，這兩對夫妻的下場也不太好。

「坤寧宮」的兩側有東西暖閣，是屬於坤寧宮的附屬的建築物。在「坤寧宮」外的東邊有個「景和門」，門的北向廂房就是老佛爺的「壽膳房」，慈禧每次用餐的一百道菜，就是這裡做出來的！「坤寧宮」與東西暖閣之間，也存在著夾道的結構。從夾道中穿越向北，來到一個小空間，可以看到「御花園」的入口「坤寧門」。門的東側房間是「坤寧宮」太監值班室，西側是「坤寧宮」總管的房間。

就在這個「坤寧門」前，有次崇禎皇帝突然在此問大臣們一個問題：「為什麼人們總說買『東西』，不說買南北呢？」學富五車的飽學之士，當場傻在那裡，幸好有個周延儒機智地回答說：「南和北代表火和水，無法買賣、東和西是木與金，可以交易，所以叫買『東西』。」崇禎皇帝點頭稱是。其實崇禎被糊弄過去了，如果是我，我就會多問一句：「那土呢？能不能買賣？為什麼不叫買『中東西』呢？」

# 方寸之間看微細：
御花園

　　跨過「坤寧門」之後，就進「御花園」。這個名字實在太常在各種古裝劇中出現了，所以恐怕是大家對故宮之中最熟知的地方了，但是真正站在這裡時，可能會有點失望。「啊⋯⋯怎麼這麼小啊？」的確，它的面積不大，僅一萬二千平方公尺，跟「圓明園」、「頤和園」這類花園比較起來，就面積而言，根本不能同日而語，但精緻細膩上，卻是那兩座園林遠遠望塵莫及了！

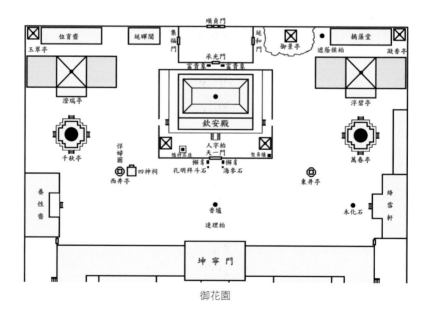

御花園

這座花園從明成祖那時就在這裡了，所以有六百年的歷史，是故宮四座花園中最古老的休憩場所。當初的設計師，雖然被局限在這麼小的空間，但是還是利用各種形態的花圃和建築物，造就成蜿蜒的道路，所以在花園中走起來依然覺得路很長。再加上各種造型的建築物，之間還點綴了許多奇特的石頭或樹木，來轉移注意力，或阻擋視線讓人不能一覽無遺，因此遊玩起來，有種處處柳暗花明的感覺。尤其是御花園中的地板最具有特色！它們以各種顏色的小石頭，拼成一幅幅含有文化典故的馬賽克，因此當年嬪妃們在逛花園時，有九百個故事等著她們去知道，增加遊覽的樂趣，所以就精緻程序而言，不愧是故宮花園之首。

　　一過「坤寧門」迎面而來的是兩棵柏樹，以人工方式連接在一起，叫做「連理枝」又稱「夫妻樹」、「合歡樹」等，有四百年的歷史。當年栽種在這裡，當然是後宮的嬪妃們，希望能得到皇帝的寵愛，達到百年好合的心願。這棵樹的北向，就是一個奇特的存在，在皇權至上的「中軸線」上，居然有一個宗教區域──「欽安殿」。

　　繞過一個香爐之後，就來到「欽安殿」的正門「天一門」前，「御花園」三大奇石中的二塊就放置在這裡。門前西側是「孔明拜斗石」，它天然的紋路令人想起《三國演義》中，諸葛孔明在「五丈原」與司馬懿對抗時，自知生命即將結束，祈求北斗七星延續自己壽命的場景。這是因為中國人認為「南斗星」管人的生、「北斗星」掌人的死，順帶一提：傳說如果一個人看北斗七星成九顆的話，就是閻王爺要找你喝茶了。所以也許臥龍先生就是看到這個現象，才跟閻王爺祈求吧。

　　「拜斗石」的對面是第二塊奇石，叫做「海參石」。它是一塊天然的海參造型的石頭，不是化石，所以能形成這樣線條分明的樣子，真是不得

不感嘆自然的鬼斧神工！兩塊奇石的北向，有兩個金光閃閃的怪獸守衛著「天一門」，那是傳說中代表公理正義的神獸——獬豸。它的外型和麒麟極為相似，區別在於「麒麟」是雙角牛蹄，「獬豸」是獨角虎爪。獬豸守衛的大門叫做「天一門」，這個「天一」一詞是道教用語，是生水的源頭，有滋養萬物的涵義。

## 欽安殿

　　「天一門」兩側延伸出去的牆體，在「御花園」中隔出一個宗教區域，就是「欽安殿」，裡面供奉的神明是「真武大帝」（又稱玄天上帝）。為什麼「御花園」中有座廟呢？而且在極重要的「中軸線」上呢？其實大家知道紫禁城的締造者——朱隸（明成祖），他是以起兵謀反奪得天下的。在這個過程中，他老人家多次說得到「真武大帝」的幫助，甚至宣揚自己是真武的轉世，所以他很崇敬這個神明，不但在故宮中大興工木，建築了這座「欽安殿」，更在「真武大帝」駐守的武當山頂，用銅製作了一個「金殿」，裡面不但各種塑像是銅的，就連所有桌椅器具都是金屬的！而且據說當初故宮設計時，將北方的「景山」做得像真武的「龜」，「內

孔明拜斗石

幡杆石座

金水河」造得象徵真武的「蛇」。從空中俯視「景山公園」時，據說也能隱約看到「真武大帝」盤腿的型態。如果當初朱隸真的把整個「故宮」的布局，設計成那個樣子，可見得他對真武的崇敬程度了。

　　進入「天一門」後又是一個柏樹造景叫做「人字柏」，然後就是「欽安殿」的正殿了。可以注意到「欽安殿」前的丹陛上，刻著六條上下飛騰的龍，這是對印「天一」的「地六」理論，這也是道家的觀念。「真武大帝」是道教理念中的北方神祇，同時祂也是位水神，安放在這裡有種防止火神祝融的涵義，因為故宮建築物大部分是木製，最怕火災，所以真武在此就能讓火神退避。傳說有次故宮失火，廟中的神明還顯靈走出殿宇，把火苗踏滅了。其實這只是一種自我安慰，有真武在、紫禁城還不是遭受到祝融姑娘一百次的光臨（一說八十次），就連最重要的「太和殿」都燒了四次⋯⋯

　　「人字柏」的西側有個「幡杆石座」，石座上的巨型的方石，其實是由兩塊雕刻的巨石共同組成的。從幾張二十世紀初期的老照片中，可以看到百年前的兩塊大石是共同扶持一個叫「五龍捧聖大旗杆」的基座。這根杆子長31公尺，頂端有個銅鎏金的四方形小亭，根據記載：亭中放著一個銀盒，裡面有兩本經書[12]。旗杆已經不知何時消失了，只剩下兩塊大石仍在原地，緊握著空洞的史跡⋯⋯方石上除了有細緻的雲龍外，在方石下的石座上，也有精美的海浪與水中生物雕刻，都是明代的傑作。它的對面是焚化紙製金錢物品的「焚帛爐」。

---

12 杆上的銀盒中，據紀錄放置著《元始天尊說北方真武妙經》、《元始無量度人上品妙經》等經書。

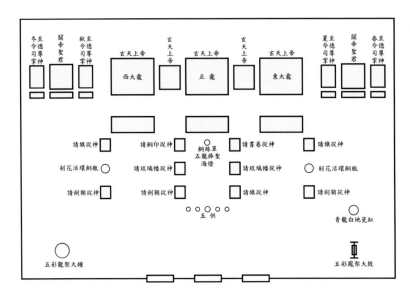

欽安殿內部陳設

　　「欽安殿」的屋頂上有個特殊造型的「鎏金寶瓶」，是由數個零件組合而成的，在2006年大修時，從瓶中還發現許多經書呢。殿的四周欄杆也很有特色，在欄杆中的「欄板」上，可以看到「行龍」穿梭於各種花卉之間，這是因為龍在傳說中能行雲布雨，所以這個圖騰象徵雲龍行雨、滋養萬物的意思。

　　「欽安殿」的內部陳設，集合了明清兩代的藝術精華，殿內的任何物件無不精緻異常！其中最引人注意的，莫過於有十個差不多跟真人一樣身高的侍從雕塑，手持各種物品來服侍真武大帝的神像。「欽安殿」內共有十一個大小神龕，正中央的主龕之中，「真武大帝」手持出鞘的寶劍端坐在其內，龕前還有一個銅鑄的龜蛇玄武像。主龕的兩側各有一個較小的神龕，再向左右沿伸過去的是東大龕和西大龕，這四個神龕之中也都是真

武神像。五個神龕再向東西延伸，又各有三個小神龕。西側三個小神龕的中央供的是關帝聖君，東側的中央也是。其他四龕從東到西，分別是春、夏、秋、冬四季神明的靈位。除此之外，裡面當然還有各式各樣的祭祀用品，什麼「銅絲罩五龍捧聖大海燈」，什麼「五彩龍架大鐘」、「五彩鳳架大鼓」等等，光聽名字就知道一定巧奪天工、絢麗奪目！

## 御花園東

「御花園」著名的「堆秀山」在「欽安殿」的東側。這件庭園造景的部分材料可大有來頭，有近千年的歷史！在小說《水滸傳》中有提過一個名詞，叫「花石綱」，那是當年宋徽宗花費大量民脂民膏，從全國各地收集奇石異花的運輸單位[13]。「堆秀山」中的某些石材，就是從「花石綱」運來裝飾徽宗的「艮嶽」花園。北宋滅亡之後，金代把「艮嶽」中的奇石搬到北京，裝點他們的御花園，明萬曆年間又將其中的一些材料，移到這裡成為「堆秀山」的一部分，所以這些石頭可以說是見證了四個王朝的滅亡……。

「堆秀山」的山頂上有個「御景亭」。農曆九月九日重陽節時，皇帝可以攜帶後宮佳麗們，到此登高賞月或尋歡作樂，順便一覽御花園景色，據說平時也有衛士在此觀察宮中的動靜，好隨時通知有關單位。山體的正面有個山洞，當年咱們的萬歲爺就是從這個洞盤旋而上到亭中的。

洞口有兩個雕刻精美的小噴泉，做成獅子背負著一個大盆子的模樣，盆的周圍表面刻著十五、六隻小獅正在竄上蹦下的遊戲著，背盆的獅子似乎正在回首，喝叱牠們安靜一點：「這裡可是皇宮啊！」盆內一條盤龍，

---

13 「綱」在北宋徽宗時，是指一個運輸船隊，十艘稱為一「綱」。

正在昂首噴出水柱，水滿出盆外形成水幕，可以讓大小獅子顯得生動活潑。大家可能問：「水那裡來的？」其實這件作品中有根銅管，連接到山上的水缸底部，水是用太監一桶桶提上去灌滿的，然後重力作用就自然噴出水來了。真是為了皇帝的一眼之歡，累死人不償命啊～

其實欣賞「堆秀山」還有一個樂趣，就是考驗各位的藝術想像力。在整個山體中，暗藏了十二塊奇石，神似十二生肖的動物，最容易找到的就是西側的雞和牠上方的豬頭了，其他要看大家的觀察力了。

「堆秀山」的東側有棵樹也是大有來頭，人家可是一位侯爺噢。叫「遮蔭侯柏」。據說乾隆有次南巡回宮之後，收到一份報告說：「御花園中有棵樹，在皇帝外出時枯萎了，但是萬歲您回來後它又復活了！」乾隆一拍大腿說：「難怪我在炎熱的南方，卻時常感到蔭涼，原來是這棵樹知道朕去南巡，特地趕去為朕遮陽啊！」於是封這棵樹為「遮蔭侯柏」。這就是電視劇《延禧攻略》中女主角第一次跟乾隆相遇時，對皇帝戲稱：「奴才幫神樹撓癢癢」的場景了。不過劇中的背景是乾隆去向母后請安，這個方向可就不對，因為從他的居所到太后寢宮，要經過神樹可以說是背道而馳，如果演成要去「摛藻堂」讀書就對了！因為「遮蔭侯柏」就在「摛藻堂」旁。乾隆在堂中，儲藏了12000冊的《四庫全書薈要》，這是從《四庫全書》中，精簡化的書籍，他老人家閒暇時常到此讀書吟詩。

「摛藻堂」前有個大型涼亭是「浮碧亭」。乾隆讀書讀累了，可以走出「摛藻堂」到這裡舒展一下，順便看看魚兒悠遊嬉戲，恢復眼睛的疲累。再往南走幾步就是「御花園」最美的亭子之一叫「萬春亭」。「萬春亭」的外觀有點類似「角樓」，是圓頂多角的造型。它的內部頂部有個「蟠龍藻井」，原本龍嘴口銜「軒轅寶鏡」，後來為了安全因素，取下另

外收藏。原本在乾隆時期，亭中有個關帝聖君神像，如今也不知去向。「萬春亭」的四個方向不遠處，也特別各種植了四顆「人字柏」，這就喻意著人不能忘了根本。

「絳雪軒」又在「萬春亭」的南方。這個建築前有個凸出的「抱廈」結構，正好與它對面的「養性齋」的凹形結構呈對比。之所以叫這個名字，是慈禧曾經移植一種河南的花卉，遍栽在這座建築物的附近，由於此花開時通體白色，遠觀有如白雪皚皚，因此地叫做「絳雪軒」。「御花園」三大奇石的最後一塊「木變石」就在軒前，這是來自於黑龍江的木化石，乾隆曾為此石題詩銘刻其上。

## 御花園西

「御花園」的西半部有個「四神祠」，裡面原本內部有供奉青龍、白虎、朱雀、玄武的神位，另外有一種說法是裡面是風、雲、雷、雨神明，不管怎樣現在裡面已經空無一物了。「四神祠」旁是「西井亭」，亭子內部上方有打水滑輪的遺跡。亭前的地板上，有幅圖畫非常有趣，叫做「悍婦圖」，是用彩色小石拼成的「馬賽克」圖案。內容共有四組，分別是「婦人將男子當馬騎」、「男子頭頂板凳跪著」、「男子跪著頭頂盆」最後男人終於受不了「騎馬逃跑」。在皇權至上的男人世界中，有這四組女權高漲的圖騰真是特別。

「養性齋」在「御花園」的最西邊，滿清末代皇帝溥儀的英文教師——莊士敦曾住在其中，這位洋老兄是清帝遷出紫禁城前，唯一曾經居住在宮中的男人。「養性齋」的北方「千秋亭」和剛剛看過的「萬春亭」是一對的，都是明嘉靖年間的作品，從外觀上一般無二，只有裡面的「藻井」彩繪不同，「萬春亭」是雲紋（或火焰紋），而「千秋亭」則沒有。

　　「千秋亭」的北方是「澄瑞亭」，和另一端的「浮碧亭」是一樣的結構，也是賞魚的地方。「澄瑞亭」的西北方，也是「御花園」的最西北角有個「玉翠亭」，和花園東北角的「凝香亭」成雙成對。這對亭子雖然小，但是亭頂的琉璃瓦是黃、藍、綠三色相間的大膽布置，是宮中僅有的！「澄瑞亭」的正北方是「位育齋」，是雍正時期的佛堂，齋的東側是「延暉閣」，雖然外表沒什麼特別的，但在清朝時，這裡是決定多少少女命運的地方，電視劇中看到選秀女的場景，其實就是在這裡。所以在電視劇中，魏小姐入宮時，陷害一個壞女人鞋底蓮花的事，就場地而言，故事安排是對的，因為進宮秀女和入宮的「包衣」[14]旗女，在「御花園」中相遇順理成章。

　　清朝的秀女分為「八旗秀女」和「包衣三旗秀女」，前者每三年挑選一次，後者每年挑選一次。選秀女時的方式是，通常是五六個秀女站成一

---

14 所謂的「包衣」是指伺候滿清貴族的旗人。

排，由皇帝、太后親臨現場挑選。如果看中了誰，就留下她的名牌，叫做「留牌子」，沒選上的就叫「撂牌子」。然後「留牌子」的秀女再定期複選，複選未留者，也稱為「撂牌子」。

經過複選再度被選中的秀女，還有兩種命運：一是賜予皇室王公或宗室之家；一是留於皇宮之中，隨侍皇帝左右，成為后妃的候選人。如果成為后妃的候選人，手續會更為複雜，還要經過第三關的「引閱」和多次的「複看」之後，再能被「留牌子」的叫「記名」，特別的是如果是皇帝親自選中的叫「上記名」。最後、還要經過「留宮住宿」進行考察，然後選定數人，其餘的都「撂牌子」。最後能真正成為嬪妃的，相貌不是很重要，她的家世背景往往是決定的因素，所以從現存的老照片來看，清代的後宮佳麗跟貌若天仙，是有些距離的，才知道為什麼清代皇帝，有那麼多「野食」的鄉野傳說。

要看美麗的後宮，還是要看明代的宮庭。明太祖朱元璋時就要求後宮女子，只要家世清白都可以入宮，例如：

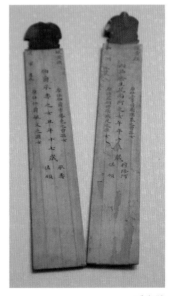

秀女牌

堆秀山

富貴象

成化時期的孝惠皇后邵氏，雖是貧民窟出身的，但可以入宮參選。不過明代選妃的方式非常複雜，有「海選」、「初選」、「複選」、「決選」等等程序，其中包含身體形、五官膚質、音色儀態、步姿風韻等等，還要到密室中脫光衣服，檢查身體的地步，如此精挑細選的女子，要是到了現代，個個都可以去選中國小姐了！

「欽安殿」背後的「富貴象」，是「御花園」中的最後藝術品。這一對大象前肢彎曲的動作做「伏」，與「富」諧音；後腿的「跪」姿與「貴」諧音，加上動物本身名稱，因此稱為「富貴象」。這件鎏金作品之後，經過「承光門」、「順貞門」穿越「神武門」就走出故宮了。其中在走「順貞門」的三個門時，留意從它的西門出宮，因為它的東門在民間叫「死門」，是宮中宮女病故時走的，而且清代的秀女也是從這個門進宮的。一入皇宮深似海，所以順貞東門無論進出都不吉利。

Chapter

# 2

## | 故宮東路篇 |

# 朝廷的大腦運作
## ——內閣

　　參觀故宮的東路線，其實應該從故宮的「東華門」
開始。這座城樓是故宮東面唯一的出入口，在古代只有
「內閣」的官員、經過皇帝特許、年事已高的一、二品大
員才可以由此進出。

　　「東華門」在故宮四面城門中算是個異類，其他三
座城門的「門釘」，每一個門板上都是九路九顆（象徵
九九極陽之數），唯有「東華門」的「門釘」是八路九顆
（七十二顆），明顯少了九顆。這是因為慣例、帝后和皇
太后的「梓宮」（棺材）都是從這裡出宮，所以用了陰數
的「門釘」，因此民間也把這裡叫「死門」。在這座城門
的門前有用漢滿文字寫著：「文武百官在此下馬」的石
碑。從此向南行，在故宮的東南轉角處，就能看到名聞
遐邇的「角樓」了。

　　「角樓」原本是防禦性質的建築物，是位於城牆轉
彎處的堡壘，但故宮的「角樓」已經昇華成一個精巧的
建築藝術品！它全部以木製卯榫結構組成，沒用一根鐵
釘，就形成9樑18柱28翼72角的特殊造型。這件精巧的
「角樓」傳說是木匠之神——魯班，親自下凡指導的。雖

然這是神話，但當年真有一個叫蒯祥的天才木匠，參與紫禁城的設計興建，這座卓越的作品，是不是他的創作？不得而知……

由東南方的「角樓」向西行走時，也等於在故宮牆體和護城河之間前進，河岸的柳樹婆娑、微風像一個少女一樣，輕輕的和我們錯身而過……其實在百年前這位少女更

角樓夜景

像一位飛天仙女。那時候護城河中種滿了蓮花，換句話說，紫禁城就像被一個巨大的蓮花池包圍，所以在城中處處都能聞到花香，而且蓮花在宗教上有特別的涵義，因此紫禁城就像被蓮花托著一樣，是人間的仙宮！這些蓮花也有經濟作用，它所產生的蓮子，經過變賣之後，所得的銀兩可以補貼太監宮女的生活用品之需。

蓮花所在的護城河全長3.5公里、寬52公尺、深10公尺，與皇城內的其他水源以涵洞相連，屬於流動性的河流。它的底部和兩岸，都是用巨大的條石砌成，所以又稱「筒子河」。護城河的另一面是故宮城牆，南北長961公尺，東西寬753公尺，周長3.428公里。牆體本身底部厚8.62公尺、高7.9公尺，頂部厚6.66公尺。結構是以夯土和石塊為內裡，再包裹2公尺厚的城磚。這些特別的城磚，每塊面磚長48公分，寬24公分，厚12公分。由於每塊磚上都刻有製造的單位姓名，以便在發生問題時，可以找到相關的人員負責。因為這項措施，使得這些城磚的品質都異常優秀，歷時六百年依然堅固如新。近看故宮牆體時，可以發現牆面平整光滑而且精確，那是最高級的牆體工藝，叫做「磨磚對縫」的結果。

故宮護城河（筒子河）

　　在這道城牆靠近「午門」的城內，是「內閣大堂」的遺址，不過因為這裡尚未開放，想要一窺原貌，還是必須登上「午門」的東側，去俯視這個明代的行政中樞。萬萬想不到一個曾經位極人臣的機關，居然蝸居在這樣的一個小院吧？那是因為明初朱元璋時，由於宰相胡惟庸的叛變，使得太祖取消了宰相制度，然後把權力分散到多位大臣來執行政治運作，這個小院就是他們辦公的地方。這個地方的規模與他們所執行的權力相比，用北京當地話來說，真是寒磣！

　　其實在政權的操作上，內閣成員只有在奏章上加上一個紙條的權力，稱為「票擬」，也就是只有「建議」皇帝怎麼做，最終決定要怎麼做，還是看皇帝打算怎麼辦。那些位極人臣的大人們，連決定小偷處罰方式的小

內閣大堂

小權力都沒有。（萬曆年間由於皇帝的三十年罷朝，搞得牢裡的小偷被關到想死）。說句題外話：明清的皇帝真不是人幹的！每天要處理超級大量的文件，九州大地的大小事，所產生出來的問題，都要皇帝一個人決定處置，想一想皇帝也是自找的，因為權力捨不得下放，累到每天要回覆這麼多的事物，「日理萬機」真不是吹的。

清代初期時的公文有三大類，一是正式蓋有官印的公文叫「題本」，二是屬於私人性質（例如告老還鄉）沒有蓋官印的公文叫「奏本」，都是「內閣」要處理的公文。最後一類是皇帝與大臣間的私人通信叫「奏摺」（也稱密摺），由別的單位呈給皇帝御覽。「內閣」收到「題本」和「奏本」之後要登記造冊，然後要作些前置作業。

這三類公文以「題本」最正式，處理起來也最麻煩！「題本」又有兩種區別：有關全國各地單位的送來的叫「通本」，在京六部各衙門的叫

「部本」，這個「通本」的後續處理是最繁瑣的。首先內閣有一個單位叫「漢本房」，收到「通本」做完登記後，將「通本」中的漢文內容簡化摘要，而且要翻譯成滿文副本（稱為「貼黃」），然後一起送到「滿本房」（這兩個房間在內閣的第一院落中，但「滿本房」已不存在了）。

「滿本房」接到之後檢查滿文的正確性，然後以正楷滿文接續在漢文之後，送到「漢票簽處」，書寫處理事物的建議，稱為「票擬」。在「漢票簽處」中又有二個步驟，先由「侍讀擬寫草簽處」做出初步建議，然後「中書繕寫真簽處」提出正式「票擬」。再把全部處理過程公文，送到「滿票簽房」將「票擬」翻譯成滿文。再到內閣大堂的西耳

內閣大堂結構

室——稽察房，檢查公文正確性，最後經過內閣大學士認同後，送到乾清宮的「批本處」登記造冊，準備送皇帝審閱。是不是聽得頭昏眼花、超復雜的？其實雍正皇帝也這樣覺得，所以成立了一個快速處理中心，叫做「軍機處」，從此內閣變得只處理一般性事物，重要性也逐漸降低。

在遺址之中還有個地方叫「蒙古房」，那是負責翻譯外藩各部文字的機構。在「內閣大堂」的東方還有三棟橫條狀的長房，靠城牆這裡的是「儀仗庫」，也就是儲放皇帝出巡器具的庫房。它的北面長房是「紅本庫」，用來保管皇帝批過奏章的地方。它的東側還有一個庫房，叫「實錄庫」，是「紅本庫」中的文件，經過一段時間之後，所精簡的文獻叫「實錄」，這裡就是保管「實錄」的庫房。在「東華門」內的南側，與東面城牆同一方向的庫房，是「國史館」，它與「東華門」內北側的「國史館書

庫」，兩地共同將「實錄」中的紀錄再精簡之後，就成了我們今天所讀到的歷史書籍了。

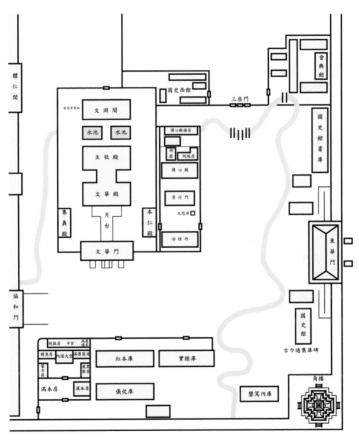

文華殿區圖示

# 你現在在天子補習班：
# 文華殿

　　從「午門」的東城牆上，要前往東路線的「文華殿」時，必須穿越「太和門廣場」東側的「協和門」。在這個大門兩側的欄杆柱頭上，有一個幾乎被人忽略的明代小機關，叫做「石別拉」。它的外型像個壽桃，其實本名叫做「二十四節氣望柱頭」（喻意四季平安的意思）。從外觀上沒什麼不同，但其中有幾個柱頭是中空的，當有緊急情況發生時，兩門的守衛，會用一種特殊的哨子，插入「束腰」中的洞中，吹響「石別拉」，呼叫他人支援，這樣的警報裝置，僅有「協和門」和它正對面的「熙和門」才有。

協和門

協和門的石別拉

「協和門」的兩側廂房，是「內閣」的收發處，也就是收發「題本」或「奏本」的地方。過門之後不久的北方，就是天子的補習班——「文華殿」所在。這裡現在是個文物展場，但在明清兩代時，是天子上課[15]、太子監國、審閱殿試考卷的地方。

在中國古代的觀念中，東方是太陽升起的地方，所以有生育萬物的意象，而「文治」正是輔佐滋長的動力，相對西方就有肅殺的氣氛，因此文治武功的方位，自古以來都是「東文西武」。從北京城內有「崇文」、「宣武」區，到紫禁城內的「文華」、「武英」殿，甚至朝堂上大臣依職務所站的方位，都是依據上述的道理。紫禁城既然是個宇宙的縮影，當然就有上述的布局，所以「東文」的具體反射建築，就是現在的「文華殿」。這座宮殿從紫禁城開始興建就在這裡，可惜原始的建築在明亡時毀於戰火，成為廢墟四十年後，在清康熙年間，仿「武英殿」的形態，再度重建。

---

15 清代皇帝上課通常在「乾清宮」旁的「弘德殿」或「懋勤殿」中舉行，在「文華殿」的「經筵進講」是非常正式的大形場合，較少舉辦。

明代當時有句話說：「不怕言官說、就怕講官講」，這個講官就是每年有一百二十天，要在「文華殿」給皇帝補習的老師。上課時間分別是二月和八月的中旬開始；各六十天的時間，而且每逢有「二」的日子，什麼二、十二、二十二日，還要加強講，真是講得皇帝都有點「二」。講什麼內容？還不是四書五經、資治通鑑什麼的，有時候講官還要講講皇帝的缺失，皇帝也只能默默承受……。那段時間萬歲爺每天都要到這裡當學生，聽講官的口沫橫飛，叫做「經筵進講」，下課後還得請人家吃飯，感謝老師的辛苦，皇帝真不是人幹的。

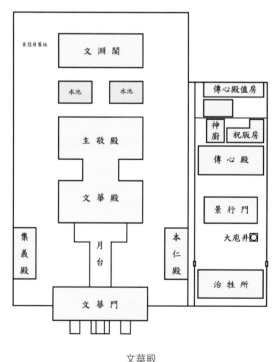

文華殿

文華殿

這些講官之中，屬明代的張居正最用心，因為考慮到年僅十歲的萬曆，年齡太小沒有耐心去看充滿文字的內容，就創作一本看圖說故事的書籍，叫做《帝鑑圖說》。這裡面網羅了歷代皇帝八十一個正面教材，和三十六個負面教訓。這本圖文並茂的教科書，符合年輕人喜歡看漫畫的心態，至今仍可以在市面上買得到，是個優良的課外讀物。可惜萬曆不受教，被講多了心中暗生反感，還是種下了亡國的禍因。

由於「文華殿」與「內閣」的距離很近，在明代早、中期勤政的皇帝，在「太和門」的朝會結束之後，也會在這裡繼續處理朝政。那時殿中的西牆上，貼著一張大表，詳細記載了所有地方的官員，以及相關資料，讓執政者方便掌握州縣的情況。另外明代有立太子儲君的習慣，因此也讓未來的天子在「文華殿」練習處理政務，以免突然間、接管這麼巨大復雜的政治機器時，會手足無措。

文華殿-文淵閣

　　「文華殿」後面可以看到一個綠色的建築物，叫做「文淵閣」，專門用來收藏乾隆時期的《四庫全書》。這個書籍共有八套，以「文淵閣」的這一套最具權威、精緻、完整，現存於台灣故宮之中，所以現在閣中空無一物。雖然如此，「文淵閣」的內部結構有個小典故，那就是世間傳說紫禁城是仿照天宮一萬間房間的規模布局，但又不敢和玉帝的居所比肩，為了謙恭，所以故宮的間數比天宮少了半間（兩根柱子的空間），這半間房就在這個建築物內。

　　「文淵閣」的現址在明代時，在比較偏左的地方，有一個大牢房，叫

做「省愆居」。紫禁城內會有一座牢房？還真的有！根據史書記載，它建在一個三尺高的地基上，四壁全由木製柵欄組成，大小比現在的「文淵閣」小一些，是萬乘之尊專用的。因為以前的人相信，天子的作為會影響天象地理，所以有什麼風不調、雨不順或地震、蝗蟲等等天災，都是上天對皇帝的警告，有這些現象發生時，萬歲爺就要到「省愆居」中，反省自己的過失。

西元1644年李自成攻入紫禁城後，「文華殿」和「省愆居」被毀。乾隆在四十一年時，仿浙江寧波的「天一閣」形式，建成現在的「文淵閣」，並且引「內金水河」水，經暗道灌入現在閣前的兩個方池。可以看到中央的石橋和池塘四周欄板上，雕刻著許多的水中生物，就是希望「水能克火」，以保護「文淵閣」中易燃的書籍，當然池塘也有消防的實際作用。

「文華殿」旁有一個獨立的院落，叫「傳心殿」，是「文華殿」的附屬建物，也是一個宗教性的建築群。主要作用是皇帝「經筵進講」前，要先至這裡祭祀儒家的先聖先賢，然後才正式開講上課。

「傳心殿」的入口一反常態的在它的東側，入口之後的南方有「治牲所」，是宰殺牲畜的地方，北方的「景行門」才是「傳心殿」的正式大門。在門前偏東可以看到一個井亭，保護著一口叫做「大庖井」的井口，這是紫禁城內水質最好的水源地，有「玉泉第一、大庖第二」之稱。過「景行門」之後的「傳心殿」，這裡面原本供奉三皇五帝以及周公、孔子等先賢牌位。它的後面有「神廚」，處理祭祀用品的地方。旁邊的「祝版房」是保存祭祀文字內容的地方，最後是文淵閣人員值班的「傳心殿值房」等地。

# 萬歲爺的車庫：
# 御馬廄

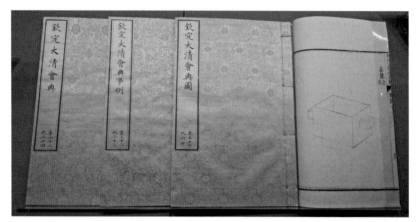

欽定大清會典事例

　　離開「傳心殿」之後，繼續在東路線向北，經過一座橋然後就到了一個叫「三座門」的地方，過門之後左右各有一個獨立的區域。西側原先是「國史西館」的故址，乾隆名臣紀曉嵐曾在此編輯《四庫全書》，現在是故宮的消防單位，東邊是「會典館」的故址，原本是紫禁城養鷹、狗的地方，後來改變成修編清代國家的基本法律《大清會典》之地。

　　繼續向北有道「影壁牆」，在此牆的西邊，有一個建築物，那是當年「上駟院」的所在，也就是幫皇家管理

馬匹的機構，屬「內務府」管理。它的南邊原本有個「御馬廄」，是飼養皇帝御馬的地方，但是現在已經不存在了。那裡面曾經生活過十匹乾隆的愛馬，名字都很特別，什麼「奔霄驄」、「如意驄」等等。清代郎世寧曾經受命將這十匹馬，用他的妙筆丹青畫下十幅巨畫，每幅畫的大小幾乎和真馬差不多，目前保存在台北故宮，有展出的時候，大家一定要去看！其中有幅「赤花鷹」的寶馬，恐怕是乾隆的最愛，因為除了在《十駿圖》中有牠之外，另一幅《乾隆皇帝大閱圖》，圖中天子跨下的馬也是牠，是出鏡次數最多的馬匹了。

提到「赤花鷹」不免令人想到「赤菟馬」，所以說句題外話：許多人把「菟」寫成「兔」，這是不對的，這個「菟」是虎的意思，指牠咆哮聲音宛如雷電，所以「赤菟馬」翻譯成白話文是紅虎馬，而且牠的主人是呂布，在《三國志》正史中，有「人中呂布、馬中赤菟」一語。至於關羽與赤菟馬的情節，則是小說情節了……

「影壁牆」的東邊有一個小小的殘跡，是皇帝親衛隊「御前侍衛所」的原址。《延禧攻略》中的男二角富察・傅恆，常常在沒當班的時候，拿著香囊沉思把玩的地方，按道理說……就在這裡。還有在劇中咱們的魏小

清-郎世寧，十駿圖-雪點鵰

乾隆御用馬鞍

姐不是常去「太醫院」搞些什麼材料嗎？也在侍衛所的兩點鐘方向，位於「南三所」的東側。

這個「南三所」是「影壁牆」北向的一個建築群。在「南三所」和故宮城牆之中，由南到北的屋子，分別是「太醫院」的總院，祭祀孫思邈的「藥王殿」和儲備藥材的「御藥房」。您可能會認為「太醫院」在這樣偏遠的地方，要有什麼緊急狀況該怎麼辦？這點您就別擔心了。這裡只是當年太醫們的辦公室，要是真有什麼急診，根本等不到這裡的醫生趕去。所以在一些重要人物的居所附近，都有太醫的值班室，二十四小時待命，出不了什麼事。

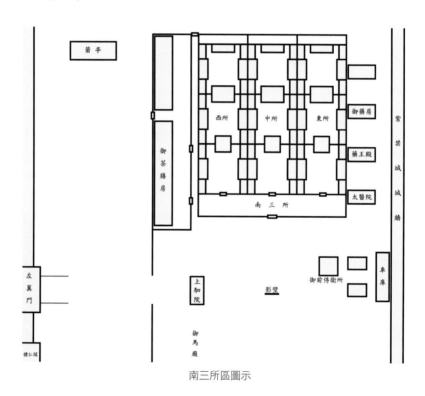

南三所區圖示

　　這個大型獨立的「南三所」，顧名思義就是有三組宮殿的地方。明代中期時這裡叫「慈慶宮」，是太后的居所，後來改了名字叫「端本宮」，成了太子的居住的地方。萬曆十三年（西元1615年），在這裡還曾經發生過一場謀殺案，史稱「梃擊案」！那是當時萬曆的寵妃——鄭貴妃，為了想要自己的兒子當上太子，派人謀害未來的光宗皇帝，最後不但沒有達到目的，反而更加穩固皇太子朱常洛的地位。

　　乾隆十一年後，這裡定名叫「南三所」至今，成為皇子們的居所，像嘉慶、道光、咸豐三位都曾經住過這裡，其中道光還是在「南三所」中出生的呢，所以又叫「阿哥所」。到了清代晚期時，皇室的子嗣稀少，這些也逐漸沒落。在光緒晚期時，清廷受到各方壓力，宣布「預備仿行憲政」，辦公室就設在「南三所」，叫做「憲政編查館」，所以這裡也是最早研究憲法的地方呢！

　　「南三所」的東側另有一塊獨立的空間，裡面的建築物是清代「御茶膳房」。這個單位所職掌的內容，經過多次的演變，已經偏向管理的單位，負責掌管、記錄宮內飲食，或者在舉辦典禮時，皇帝宴席上的器具事物等。它對後世的貢獻是提供了大量的《膳單》資料，也就是皇帝在前一天，所看到的菜單資料。這份文獻目前整理成85冊，5347個皇室的吃飯紀錄，對於後世研究太后以下，各個妃嬪和皇帝的食物用度，還有皇帝請客吃飯的內容，提供了第一手的資料。

# 祭祀列祖列宗：
## 奉先殿

箭亭

　　「御茶膳房」的西側是一條林蔭大道，其實這裡以前是沒有這些樹的，因為這裡在百年前是跑馬射箭的地方。大道北方的盡頭有個建築物叫「箭亭」，是雍正八年時建造，供皇帝和皇子們騎馬射箭的場所，也是清代武進士考取武狀元殿試所在。武試的方式和一般的科舉相同，也是有鄉試、會試、殿試的階級，除了要考驗武藝弓馬外，也有力量與筆試的項目，基本上和電影《武狀元蘇乞兒》一樣。

「箭亭」樹立在這裡，在位置上有個重要的意義。它的背後是供奉列祖列宗的「奉先殿」，也就是在祖靈面前練習騎射，有克紹箕裘、勿忘先人遺志的意思。這一點從「箭亭」內東側，有塊「訓守冠服騎射」臥碑中可以得到應證。那是乾隆時期，將皇太極對後代子孫的一篇訓誡，以滿漢文的方式雕刻上去的，內容大意是：以金朝衰敗為戒，勿忘曠廢騎射、導致滅國的教訓。

　　「箭亭」中央原本設有寶座，皇帝就是在這裡拉弓射向亭外靶心的，但現在全改成清代武裝的展場了。在這裡可以看到皇太極、康熙、乾隆等人金碧輝煌的馬具，以及八旗軍士們的甲冑等等。殿中東側的展覽櫃中，有兩件武器要特別介紹一下！那是地字八號的「輔德劍」、和地字十五號的「寒鋒刀」。

　　這兩件武器是乾隆以四十七年的時間，鍛造的九十把刀劍之二。這些神兵均有天、地、人一～三十號的特殊編號，以專屬的器皿盛放，例如：「湛鍔韜精」是裝第一批寶刀中的五把，「功全利勝」是乾隆六十年最後完工五件刀劍的代號。乾隆御製的刀劍，在收藏家的眼裡，無疑的曠世珍寶！其中天字十七號——「寶騰刀」，曾在2012年以4830萬人民幣被拍賣，這個價格讓世界的古刀劍界嘩然！可見珍貴的程度。箭亭中的「輔德劍」和「寒鋒刀」正是與「寶騰刀」系出同門。

## 奉先殿

　　進了「誠肅門」之後，我們就進入了「箭亭」北方，「奉先殿」的範圍了。在這個廣場的南方房間是「南群房」，原本存放殿中祭祀用品和處理牲祭的地方。廣場北方是「奉先殿」的正門「奉先門」。在廣場東面隱約可以看到一個房子的屋頂，那是「獻王殿」，是明嘉靖皇帝老爸的祭

殿。

「奉先殿」是明清時代皇室祭祀祖先的家廟，整體建築呈「工」字形，前面正中原本設有「列聖列後龍鳳神寶座」以及擺放各種祭祀用品的多個桌子。從百年前的老照片，可以知道當年的後殿中，區隔成九個帷帳空間，每個帷帳內都有一個神主牌位，安放在一個寶座上面，寶座之前還有大量的其他器具，但是今天已經不復再見，成了清代鐘錶的展覽館了。

目前「奉先殿」內展出百餘件各種計時器，有我們在「交泰殿」看到的「銅壺滴漏」，也有比「交泰殿」內更大的「紫檀木閣樓式大更鐘」，更引人注目的是英國所進獻的各種鐘錶，這些鐘錶大部分是立體的，不但以各種寶石裝飾華麗外，更有許多機關，可以讓其中各種人物或動物生靈活現、饒富趣味。其中以「象拉戰車樂鐘」和「寫字人鐘」最引人注目。

「象拉戰車樂鐘」這個銅鍍金的作品，是十八世紀英國所贈送的禮物，全長136公分、高70公分、寬55公分。以六個發條帶動大象和車上的各種的活動，也就是說這部戰車鐘，可以沿弧形繞圈行走，而且在音樂的伴奏下，大象的眼、鼻、尾可以隨著節拍擺動，站在最高處的人物也可以轉動，頗負穎奇！

「寫字人鐘」這件作品高231公分，銅鍍金的傑作，是十八世紀英國倫敦的威廉森Williamson專為清宮製作的。造型四層樓閣的頂部，有兩人手舉一圓筒作舞蹈狀，啟動後，二人旋身離開彼此，緩緩拉出圓筒內「萬壽無疆」四字的橫幅。第三層有一敲鐘人，每逢報完3、6、9、12時後便打擊奏樂。最奇特的第二層，有一個歐洲紳士樣貌的機器人，單膝跪地，一手扶案，一手握毛筆，能夠書寫「八方向化、九土來王」二行字，而且

一邊寫一邊搖頭晃腦，寫出的字跡「八法」齊備，好像一個有靈魂的人寫的！殿內還有許多千奇百怪的機關鐘錶，令人眼花撩亂。

## 毓慶宮

「奉先殿」的西側建築是「毓慶宮」，在它大門「前星門」前的西邊有個建築物，是清代「八旗護軍值房」的故址。所謂的「旗」是清代管理人群的單位，原本是平時從事經濟生產、戰爭時轉變成軍事武力的生活方式，入關之後已成為一個純軍事的單位。八旗之中的「正黃」、「鑲黃」、「正白」稱為「上三旗」由皇帝親自率領，輪班駐守在紫禁城內，其他「下五旗」選出來的精銳，駐守在紫禁城與護城河之間，東、西、北三個方向的兵營中。這個「八旗護軍值房」就是管理這些單位的地方。

「毓慶宮」是皇帝讀書，或者是皇子居住的地方。這個名字要看不同的時空背景，有不同的地點位置，康熙時在現在「齋宮」的位置，到了雍正時才改成現在的位置。所以在歷史上，乾隆被康熙爺爺看中帶入紫禁城

時，所居住的「毓慶宮」，其實是今天「齋宮」的位置，嘉慶被乾隆立為皇太子時，所居住的「毓慶宮」才是現在的地方。

　　居住在這個名字之下的皇子，似乎都有和帝位有緣，例如：康熙的皇太子允礽、十七歲以前的弘曆，就連嘉慶被乾隆立為皇太子時，也曾經搬進這裡。後來人們心中就有了一個印象，就是誰住進了這裡，誰就是未來的天子！為了避免這種印象，從嘉慶之後，就再也沒人住在這裡了，而專門成為皇帝讀書的地方。乾隆禪讓嘉慶之後，自己也曾經搬回到「毓慶

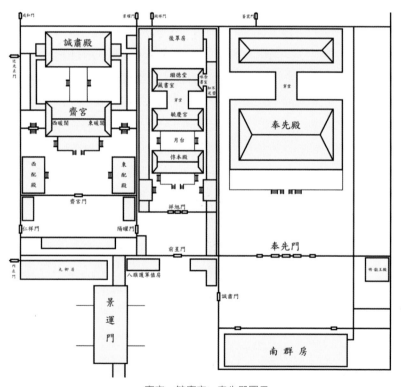

齋宮、毓慶宮、奉先殿圖示

宮」，住過一段時間。

連續進入「前星門」和「祥旭門」之後，正面的「惇本殿」是「毓慶宮」的前殿，嘉慶為皇太子時，曾經在這裡接受群臣祝賀生日。經過月台之後才是太子居住的「毓慶宮」。「毓慶宮」也是一個「工」字形建築，後部有個特別的地方叫「繼德堂」，這裡內部空間的布局十分具有巧思，裡面數個隔室之間，出入口的門或真或假，所以這裡有「小迷宮」之稱。堂中的西間是「藏書室」，原本是皇帝私人藏書《宛委別藏》收藏的地方，後來移到「養心殿」，之後又搬去台北了。堂的東次間「味餘書室」，和東稍間「知不足齋」，都是讀書的地方。

## 齋宮

「毓慶宮」的西側又是一個獨立的空間，叫做「齋宮」。從東路線一路到此，要進入「齋宮」必須穿越「乾清門廣場」的「景運門」，經過廣場的「九卿房」，然後從房旁的「內左門」進入後宮的區域之中。然後右轉進入「仁祥門」才能到達。

上｜齋戒銅人　下｜齋戒牌

這裡在明代時，是「神霄殿」「宏孝殿」等等，宗教用途的建築物，到了清代改成現在的「齋宮」，是皇帝舉行重要典禮前「齋居」的地方。由於中國是農業立國，而農業與天候有著密不可分的關係，這時天子就扮演著極重要的溝通角色！儒家思想認為：皇帝的德性直接影響是否風調雨順、國泰民安，所以皇帝在祭祀之前，都要齋戒沐浴，以求上達天聽。

　　皇帝祭祀有分「大祭」和「中祭」。祭天、祈穀、祈雨等儀式是「大祭」，在典禮開始前三天，皇帝要居住在「齋宮」齋戒（最後一天住在天壇齋宮），這時一切政務都要暫時停止。那時有個銅人手持「齋戒三日」的牙牌，站立在「齋宮」丹陛下的左側（一說在「乾清宮」丹陛下），據說這個銅人是唐代大臣魏徵的形象。而所謂的「中祭」是祭地、太廟、社稷等，皇帝在「養心殿」內齋戒二日即可。在「中祭」前的齋居時間中，可以處理除了刑事以外的其他公務。不管「大祭」或「中祭」期間，整個皇宮中都保持一種肅穆的氣氛，當時每個人的身上都掛著「齋戒」的牌子，大臣見到皇帝時，也不用下跪叩首，這是不是比較民主啊……

# 從吉祥名宅到
# 著名鬼屋的景仁宮

「齋宮」之後是嬪妃們居住的東六宮，顧名思義有六座宮殿的地方，因為這塊區域在「乾清宮」的東側，所以稱為「東六宮」。「乾清宮」的西側原本也有六座宮殿，就稱為「西六宮」，這十二座宮殿都基本上是嬪妃居住的地方。「東六宮」各個宮殿的結構比較完整，仍維持明代的六個宮區，每一個區域都有一道獨立的大門，進門之後就是正殿，然後是兩側廂房以及後殿。而「西六宮」經過咸豐、慈禧的改建，已經破壞了原來的格局了。

從「齋宮」的西側「東一長街」中，右轉進「咸和左門」不久，就到「景仁門」前了。拜火爆電視連續劇——《後宮甄嬛傳》的影響，心機沉重的壞皇后——烏拉那拉氏，令人印象深刻，連帶使得她所居住的「景仁宮」也家喻戶曉。其實在正史上，劇中的熹妃（乾隆生母）長年生活在這裡才是真的。所以我常說：電視、電影只是娛樂用途，千萬別把它當做歷史！

「景仁宮」做為東西十二宮的第一宮，自然身分地位有所不同，加上康熙皇帝誕生在這裡，所以在清代一

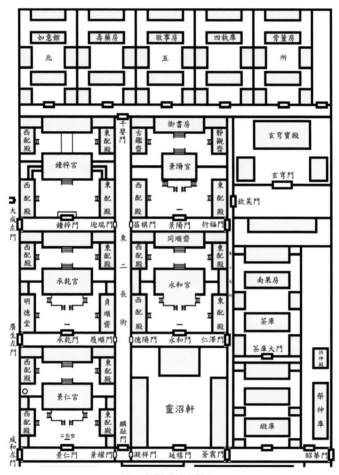

東六宮區域分布圖示

直視為吉祥之地，能安排住在這裡的嬪妃，升官發財是遲早的事，一直到最後一個主人──珍妃入住後，改變世人對它的觀感，從吉宅到鬼屋的過程，真是令人不勝唏噓。

他他拉氏珍妃、小名珍珠，祖父裕泰是個超級大官，在咸豐元年時，是清朝九位最高等級的封疆大臣之一，幹到陝甘總督。老爹的官也不小，任戶部右侍郎，相當於今天的財政部副部長或次長。這位小姐在光緒十五年入宮，那一年她才十三歲，老公光緒也沒多大，才十八歲而已，所以可以用青梅竹馬來形容他倆。可能因為珍珠小姐是雙魚座的，個性活潑外向，時常女扮男裝穿著武官的衣服，在宮裡晃來晃去，而且帶著當時罕見的新鮮玩意兒──照相機在搞自拍。這個舉動後來影響到老佛爺，也跟著珍妃玩起Cosplay角色扮演（慈禧最喜扮演觀世音，現今流傳的慈禧觀音照片，就是那時留下來的）。

總之這個陽光女孩曾經人見人愛，她的光芒也射入光緒的心裡，讓長期處於慈禧高壓之下的憂鬱光緒，首次感受到了溫暖的陽光，所以珍妃享受到特殊的「走宮」待遇。什麼叫「走宮」？在清代，為了保證皇上的安全，把奉召而來侍寢的妃嬪，在皇帝寢宮門口把衣服先脫光，用斗篷圍著，讓太監背進皇帝的寢殿（太監背進寢殿，只是幾步之遙。並不是影視節目中，背著妃子滿處跑）這叫做「背宮」。一番風雨之後，再把人家帶出寢殿。但咱們珍主兒不但是走進去，而且是留在寢殿內，跟皇上談古論今、詩詞書畫，陪皇上下盤棋等等渡過一夜，這是個最得寵的「走宮」待遇，可見光緒當時對她是極度的寵愛！

看起來咱們的珍主兒行情看漲嘛，怎麼後來成了黑五類了？其實還是源自她活潑的個性。出身富家的大小姐，根本不知道錢要用在刀口上，雖

景仁宮正面

慈禧扮演觀世音

包拯像

然她一個月的薪水有二十五兩白銀，已經是一般人的十倍有餘，但是她賞賜下人從不手軟，對自己的待遇當然更不吝嗇，所以經常當月光族，於是她開始對外聯絡受賄賣官，以支持她在宮中的花用。

當年的吏部主事——胡思敬的《國聞備乘》中記載了一則經由珍妃仲介的故事：「魯伯陽進四萬金於珍妃，珍妃言於德宗，遂簡放上海道」。不久珍妃又為玉銘這名老兄，搞到了一個「四川鹽法道」的職位。按例這一級別的新官放任到外地，要由皇帝召見一下，說點勉勵的場面話，但萬萬沒想到，光緒在召見時，問玉銘曾在哪一衙門當過差啊？玉銘居然老實的回答在木工廠！光緒聽了嚇了一大跳！啊，你沒當過官，一下子能擔任這樣的重官嗎（鹽道是非常非常肥的缺）？礙於自己愛人的面子，光緒想用另一種方式交待一下場面，於是命人拿紙筆給玉銘將自己履歷寫出就好，沒想到那位老兄竟久久不能寫不出來，原來是一文盲。

私下賣官的事情爆發後，慈禧責問珍妃，珍妃說了句非常嚴重的話，她說：「祖宗家法亦自有壞之在先者，妾何敢爾？此太后主教。」意思是：我怎麼敢違背祖宗法律？我還不是跟老佛爺學的。嘩～居然敢揭慈禧也私下「賣官」的瘡疤！咱們的老佛爺有句名言：「誰要是讓我一時不痛快、我讓他一生不痛快！」珍珠小姐逞了一時口舌之快，她的屁股就跟著不痛快了。光緒二十年十月二十八日，她遭到了「褫衣廷杖」（剝去衣服由太監用竹板打赤裸的臀部）餘怒未消的慈禧，一連處決了六十多個和這件事有關的人員，並把珍妃關進西二長街的北方盡頭，「百子門」旁的一個房間內。雖然不久就放了出來，但因參與了維新變法的關係，又被「褫衣廷杖」後，關了進去。

光緒二十六年七月二十日，八國聯軍兵臨北京城下。慈禧決定攜帶光

緒等一行人出走西安前，令領班太監崔玉貴和小太監王德環，將珍妃溺死在樂壽堂前的井中，年僅二十五歲。

珍主兒的故事，並沒有在井中結束，傳說：慈禧西巡（逃）回京時，在陝西省臨潼縣時，因為不滿縣令夏楚卿供奉的膳食，將夏縣令就地正法了。當天晚上老佛爺做了個奇怪的夢，夢到珍妃對她說：「……妳和李蓮英共殺了3926個臣工和百姓，不久就到陰曹地府受審，油鍋已準備好了，玉皇大帝命我為主審判官，專審陰險狠毒的婦人……」

慈禧醒後非常懼怕！在經過開封時，命人立了「珍貴妃之神位」的牌子，以示追封之意。沒想到當天又夢到珍妃，而且這次還帶著包拯──包青天一起來，珍妃還罷了……怎麼連包拯都來了（傳說包青天成了冥界十殿閻王之一）這下可真不得了！珍妃對她說：「妳不必加封我，妳也沒那資格……我今天帶五殿閻羅來，就是讓包拯把妳認清楚，下來時別認錯了！」

從此「景仁宮」中珍妃的鬼魂傳說不斷，無人敢接近這裏，據說慈禧為此在景仁宮的東南門內設有鎮邪之物；北面牆上設有一面鐵製鎮邪咒牌；南邊夾道的地溝上，刻著一道門，希望能壓制鬼神的做怪。但現在卻絲毫找不到這些痕跡，不知道是剷除了，還是根本是傳說而已。不過有個說法，據說「景仁宮」到了晚上，能聽到男女說話的聲音，不知其真假。不過就民俗上說，因為電視劇的影響，這裡每天有數萬觀光客進來，在這麼強的陽氣衝擊下，真有什麼也早被驅逐了！

珍妃之印

# 令人失望的紅火
## 延禧宮

「景仁宮」東側是近年紅火的「延禧宮」。由「景仁門」東向續經過「景耀門」和「凝祥門」之後就到。看到這兩座宮殿距離如此之近，《後宮甄嬛傳》的影迷們是不是有些失望，怎麼劇中的安陵容和皇后住得如此近？事實上安陵容在正史上僅是貴人階級，而且藉藉無名，卒於乾隆十五年左右，一生經歷遠不如劇中的豐富精采，更不知道是不是住在這裡。

這座宮殿之所以聲名大噪，當然是因為《延禧攻略》的戲劇效果。劇中女主角在正史中叫做魏佳氏、孝儀純皇后，不過她也沒住過「延禧宮」，而是在西邊的「永壽宮」生活才對。不過編劇真的很厲害，史中的魏佳氏真是「包衣」出身，而且跟隨過皇后富察氏學習，這在乾隆帝御製詩《孝賢皇后陵酹酒》中，似乎可以得到佐證。雖然這裡沒有女主角的身影，不過「延禧宮」中真的有過一個魏瓔珞的經歷，不過要晚了九十幾年。

孝儀純皇后

靈沼軒

　　那是在道光帝時期，一樣出身寒微的烏雅氏，進宮時的她才十五歲，老公已經五十六歲了，但是肚皮非常爭氣！為皇帝增加了三子一女的子嗣，占道光後代數量的三分之一強！雖然兒子最終沒當上皇帝，但是孫子和曾孫連續成了光緒和宣統帝，也夠了不得了。而且烏雅氏和劇中的魏瓔珞一樣，曾經因為得罪皇帝而被降級，但之後在十年之間不但復位貴人，而且一路升官到貴妃，這其中的經歷，不得不說有些心機存在。

　　烏雅氏所在的「延禧宮」，雖然有個「禧」字，卻是十二宮中最不討喜的一座宮殿，通常只有「常在」或「答應」這些低階嬪妃居住在裡面，所以分配到這邊的皇帝老婆，恐怕不是什麼好兆頭，照顧後宮的「內務府」是非常現實的！住在這兒的主既然都是萬歲眼角邊的女人，就不必花太多力量在這兒討好了，所以宮中的各種日常生活用度經常不足，還得做

點手工拿到太監的福利社（在神武門外的西邊和護城河之間）去換錢。最慘的是「延禧宮」距「庫房」唯一的出入口「蒼震門」太近，侍衛的查驗聲、雜役太監寒暄聲此起彼落，真是想安靜一下都不行……

「延禧宮」也可以和倒楣兩個字沾到邊，因為除了住在這裡的人，常常感到發展不大、人生黯淡外，連建築物本身也屢遭火災！光是在道光和咸豐年間就曾發生了三次大火，都造成了全毀的慘重損失，加上歷代的重修，因此「延禧宮」成了紫禁城內重建次數最多的地方。後來有風水師穿鑿附會的說：這裡處在八卦中的「艮」位上，代表山高才屢次遭雷火襲擊，所以從咸豐五年開始就荒廢了，後來放了很多養魚大木缸，用意是以水鎮火，今天尚存有一張珍妃的姊姊——瑾妃，在「延禧宮」中欣賞缸中觀魚的照片。

今天進入「延禧宮」中的人，相信也會大失所望！不但看不到劇中的露台和鞦韆，連古代風格的建築也看不到，倒是看到一個爛尾工程——「靈沼軒」。說真的、如果這個工程完工的話，可以算是一個奇蹟！那是在滿清末年的宣統時期，憋了一輩子氣的隆裕皇太后終於可以獨掌乾坤了！這位在慈禧年代時，爹不疼娘不愛的女人，登上天下絕頂的地位之後，也想學慈禧一樣，好好奢華一下，於是她似乎在發洩情緒似的，絲毫不顧民窮財盡、風中殘燭的政權，以高達二百多萬兩白銀的預算，下令在「延禧宮」遺跡中與建一座「靈沼軒」！

預算二百多萬兩白銀，幾乎是當年慈禧重修「頤和園」預算的四分之一！用這麼高預算去做一個小建築，是要準備呈現怎樣的富貴豪華呢？現在站在「靈沼軒」的遺跡前，可以發現它是建立在一個超巨大的水池之中，而且池中的建築物有窗戶的預設。這是準備使百年前的人們處於地下

靈昭內部

靈沼軒水池

室時，可以透過厚重的透明玻璃，欣賞到池中的魚兒悠游。就在百年前的技術而言，要製成抗拒數噸水壓的玻璃，造成現今海底隧道的視覺效果，基本上沒這種技術可以達到這種天方夜譚的建築！不過這個想法卻是非常的先進。

「靈沼軒」的主體是用名貴的漢白玉砌成，牆面上雕刻著巴洛克風格的花紋，軒內的牆面貼有白色和清色瓷磚，頂部還有一個主塔和四個六角副塔，也全部是水族箱！遙想在當時如果人在其中，看到四周和頭頂的水族箱，似乎是身處海底龍宮一般……因此它又有一個名字叫「水晶宮」。

這座天方夜譚式的建築，除了上述的名貴建材外，還計畫裝上當時罕見的電燈和電扇。在過程中因為技術和預算問題屢屢停工，終於在民國成立後，徹底停工下來。幾年之後的1917年張勳重立溥儀即位，遭到國內外一片嘩然！「靈沼軒」就毀於炮火之中，徒留嶙峋瘦骨，依然在風中顫抖，只留後人無限的幻想。

# 翠玉白菜的主人：
# 永和宮

　　東六宮的區域因為分隔明顯，所以可以用「弓」字形的走法，把各個宮殿串聯起來，節省行走的距離。於是從「延禧宮門」出來後的路徑，就像「弓」字一樣從南向北行，也就是出門之後東行，越過「蒼震門」後繼續折向北行⋯⋯這個「蒼震門」在故宮歷史中的有名之處，是在康熙五十六年時，年歲已經一大把的康熙，在這裡搭帳篷守護孝惠章皇后的感人故事，還有雍正皇帝也在這裡搭過帳篷，為他的母親倚廬守孝。

　　在「延禧宮」東側的巷道中北行時，東邊的建築物是清代放置飲食材料的庫房，就是上一篇在「延禧宮」中介紹到：住在「延禧宮」會感覺到吵雜的原因。在這裡順帶一提：在電視劇中時常看到，有人從「延禧宮門」的東方出入，這個方向顯然是錯誤的，因為皇帝等等大人物，不可能從庫房方向來到「延禧宮」，所以電視看看就好，別當作歷史。

　　接著西轉過「仁澤門」之後不久，就到了「永和宮」了。在《延禧攻略》電視劇中，時常為高貴妃出謀劃策的「嘉嬪」就住在這裡。根據乾隆十年的一份紀錄顯示，

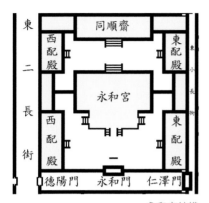

永和宮結構

孝恭仁皇后

「嘉嬪」原本住在「長春宮」後來才搬到「永和宮」的。

史書上的「嘉嬪」看不出有那麼多的心機，倒是她和皇帝老公一共生育了四個兒子，占了皇子比例的四分之一，所以應該是比較受寵的。另外《延禧攻略》、《如懿傳》中的「愉妃」也生活在這裡。不過兩劇中所呈現的「愉妃」，和正史上的形象截然不同，劇中的角色不是心狠手辣就是蛇蠍美人，如果本人地下有知，一定氣得再死一次！順帶一提，「愉妃」的兒子就是電視《還珠格格》中的五阿哥，不過他很短命，二十五歲就死了，真有還珠格格的話，年齡輕輕的就守寡了。

除了因為電視劇而知名的上述兩位女人外，有個女子的故事資料，也夠拍成一部連續劇，那就是雍正的生母，仁壽皇太后！她從十四歲的宮女開始，一直幹到後宮的頂尖，成為皇太后，其中的過程看哪位編劇大人，有興趣發揮一下了。

雍正的生母——烏雅氏，是明清兩代居住在「永和宮」中最久的一位，她是個蒙古姑娘，十四歲入宮時身分很低，史書對她的當時的位階是「常在」、「答應」還是宮女？大都語焉不詳，似乎為了顧及她的兒子——雍正皇帝的面子吧。而這個出身似乎是雍正母子的心病，康熙逝世之後，烏雅氏堅辭「皇太后」的封號，和雍正在父皇面前的「力爭上游」，好像都和這個出身有關。

　　康熙十七年烏雅氏在「永和宮」中生下了胤禛（雍正）後，才進封為「德嬪」（地位還是很低）。康熙六十一年老皇帝去世，那時烏雅氏已經六十三歲了，她不以新皇帝生母的身分為傲，在康熙的喪葬儀式中依然默默的隱藏在眾妃之中，雍正看見之後十分氣憤！立刻將母親拉出眾妃之中，尊奉為皇太后！但烏雅氏反覆推辭，當場弄得皇帝下不了台，最後在勸說之下，勉強接受了「太后」稱號，但不接受皇太后的稱呼，也不接受眾臣的朝拜及所上的「徽號」。（後來有人以此大作文章，認為烏雅氏是知道雍正這個帝位來得不正，才不敢受奉）

　　康熙皇帝的遺孀們似乎也不認可烏雅氏的「太后」地位，在她面前也不行禮。雍正皇帝為此下詔要求宮中負責禮儀的總管監督行禮，「……不可稍有違錯，若上下禮節不分，關係國家體統，乖違典禮，即屬總管之罪！」雍正元年五月，才當上「太后」幾個月的烏雅氏，病故於「永和宮」中，沒命享用兒子為她修繕的「寧壽宮」，年六十四歲。

　　這座宮殿也是小說中，慈禧的強勁對手——麗妃的居所。在小說中時常把這倆人的勾心鬥角，形容的精采刺激。事實上除了皇后之外，在咸豐的後宮中也只有她夠格與慈禧爭寵、爭地位了，如果她能為咸豐生出什麼阿哥的話，也還真輪不到慈禧後來的參政，中國近代歷史恐怕也得改

寫⋯⋯麗妃一直活到光緒十六年，並非小說中所言慈禧得勢後，除之而後快的情況。

和烏雅氏一樣信奉「沉默為賢」的女人，還有永和宮的最後一位主人——瑾妃，說起她來可能名頭不顯，要提起她的妹妹珍妃來，人們才知道她的存在，因此許多歷史書中提及她時，都要加上一句：「珍妃的姊姊」來開始介紹她。事實上她還有一個鮮為人知的身分，那就是台北故宮「翠玉白菜」的主人⋯⋯

瑾妃的一生除了有一點點的好吃外，基本上是個無欲無求的人。光緒十五年和妹妹一起入宮後，一直扮演著「花瓶」的角色，但瑾妃心無怨對，安分的在自己的小天地中，渡過一天天的日子。她素愛丹青本身也會創作，至今尚有「魁星點斗」的作品傳世。在她的指點下，「永和宮」的食物烹調技術，在當時紫禁城中廣受歡迎，王公大臣都愛吃她賞的飯⋯⋯

瑾妃也是一個很講究生活品味的人，今天至北京故宮時，還能看到當年擺放在「永和宮」中的玉製盆景和精美鐘錶，讓世人欣賞到中華文化之美。但瑾妃一生真是無言的令人心碎。年輕時有惡婆婆——慈禧太后，論尊貴不及光緒的正妻——隆裕，論丈夫的寵愛不及自己的妹妹——珍妃。獨自一人在一個小小的三合院中，看著寶貴的青春盡付於宮中的花開花落⋯⋯西元1924年的中秋節，末代皇帝——溥儀敦請「皇阿娘」正座於「養心殿」中，皇后、貴妃、格格、王孫們共同向瑾太妃跪拜賀節，這是瑾妃一生中最榮耀的時刻，但也在這一天結束以後，瑾妃受寒一病不起，五天後與世長辭。人生最好玩的是「際遇」，誰能想到一生無言的瑾妃，她的「翠玉白菜」卻成了世界知名的寶物，永遠為中華文化代言？

永和宮

咸豐麗妃金冊

翠玉白菜

# 坐火箭升官的妃子：
# 承乾宮

　　出了「永和門」之後西行，連續穿越「德陽」、「履順」兩門，就到「承乾門」前了，它是「承乾宮」的大門。在《延禧攻略》中，這裡是那位大嘴巴──舒妃的居所（劇中她每次出現都令人不舒服，叫舒妃有點諷刺）。雖然這位舒妃，在史書上沒啥名氣，但有幾位女主人，在史冊上留下赫赫名聲，而且似乎只要住在這座宮殿中，升官都是特別的快！

　　曾經在「承乾宮」中生活的女主人們，其中有三位，那都是女人之中拔尖的！而且湊巧的是，她們的升官速度都是飛快的！第一位要介紹明崇禎皇帝的寵妃、田秀英田貴妃。說起這一位貴妃，在歷史上可是大大的有名！父親是個揚州富商，而她除了本身是個「財」女外，更是一位「才」女！一般的美女都是以文靜為美，但咱們這位美女上馬之後，英華外發、騎技絲毫不輸滿清的八旗武士！下了馬之後，貴妃的一手妙筆丹青和所展現音樂才能，更使崇禎皇帝驚艷！當時崇禎衣袖之

承乾宮圖示

中，就時常帶著一幅她的「蘭花」圖，以便隨時抽出欣賞。什麼樣的珍品沒有見過的皇帝，可以如此看重的作品，可見她的繪畫功力之深！

明-皇貴妃玉印

坐下來的田貴妃，拿起笛和琴演奏，可以讓皇帝稱讚說：「裂石穿雲」，拿到現代可以開個獨奏會，絲毫不輸給職業水準，所以曾經讓人懷疑，一個千金小姐的音韻功夫怎樣會怎麼高？恐怕是烟花女子假冒的吧？後來知道她的後母薛氏本身就是位音樂家，才令人明白她的才藝由來。

我們這位田小姐的才能還不止如此呢，她還是個庭園造景師，曾經在「承乾宮」內設計建造了一座「玩月台」，將花卉巧妙的隱藏其中，使得不見花蕊但聞到氛香，尋找盆栽來源成為一樂。她更是個造型師，她的婢女經她打扮後，常讓其他宮院的侍女羨慕不已……這樣的才女，不但在明代，在中國歷史上也非常罕見，可惜天忌英才，崇禎十五年三月，田秀英在「承乾宮」中香消玉殞，年僅三十一歲。也幸虧如此，沒見到一個王朝的滅亡悲慘。

滿清入關之後，清順治帝坐上北京的龍椅，「承乾宮」也迎進了它的下一位女主人，就是讓順治皇帝魂牽夢縈的董鄂妃。她的出身在今天有些撲朔迷離，有認為是歌姬，或是順治弟弟的愛妃等等，甚至根據董鄂妃的同宗——董鄂冶亭的考據：這個姓氏居然是當年北宋靖康之亂後，宋英宗兒子越王的後代。這要提到這一支族，當年被擄至東北，流放至「董鄂」（今吉林省恒仁縣）這個地方後，為了逃避完顏亮屠殺宋趙氏皇族，而改以地名為氏，所以董鄂氏也算是漢族的後裔。

　　不管這位小姐的身世如何，她的升官速度真是夠快的，就像火箭升空般。她順治十三年夏季入宮，到了秋季就升到妃位，三十三天後又升到貴妃。入宮三個月後正式冊封貴妃！升官速度之快、令人咋舌！其實這還沒什麼，天子為她的晉封而「大赦天下」慶祝這就厲害了，豈只厲害、根本在清代近三百年的時間中空前絕後！成為孤例！

　　董鄂妃真的美到讓萬乘之尊用如此誇張的升官來表達愛意？還是做了什麼利國利民的建議，讓天子這樣的敬仰？現在從史書中，並看不出董鄂妃具備上述那些，能夠讓皇帝愛到如此痴狂對待，只能說是兩位對上眼了吧。那順治對董鄂妃做了哪些誇張的事，來表達強烈的愛意？主要是董鄂妃亡故之後，順治做了幾件驚世駭俗的舉動。

　　順治十七年，董鄂妃逝世在「承乾宮」後，天子親自守靈悲泣，其悲傷的程度，驚動到母親孝莊太后為了防止兒子想不開，還派人日夜守護著他，這有些誇張……皇帝罷朝五日，以「藍批」方式處理奏章長達四個多

月……各位不知道的是，萬歲爺平時批閱奏章是用紅筆，稱為「朱批」，所謂「藍批」是皇帝的老爹、老媽死了才使用的規格，而且制度上只使用二十七天，連皇后過世都用不到「藍批」的程度，而比皇后低的皇貴妃去世，居然讓萬乘之君哀傷到讓臣下用藍筆代批！而且還破了制度，用了一百二十多天，這更誇張。在皇帝守靈期間，順治在「承乾宮」中不理朝政，專注寫下數本的《董妃行狀》，文中憶念起愛妃溫柔的眼神和關切，這有夠誇張……四個月後，順治十八年一月七日、順治帝也駕崩於「養心殿」中，有人說：這是萬歲為了心愛的女人而心死身亡，這最誇張！

不管如何，年僅二十二歲的董鄂妃，能讓一國之君愛成這樣，也夠傲視群雌了！「承乾宮」升官速度第二名，是清道光帝第二位皇后，鈕祜祿氏——孝全皇后。道光即位第一年，她以貴人身分入宮，之後升官速度也算坐法拉第跑車了！道光二年升嬪位、三年到妃位、五年官拜貴妃，十三年時已經是副皇后——皇貴妃的身分了，那一年她才二十六歲而已。

孝全皇后是清代第七個皇帝——咸豐的生母，關於咸豐的出生有個傳說：她在貴妃身分懷孕時，她的競爭對手祥貴人也有孕在身，根據「敬事房」記錄皇帝生活言行的「起居注」來看，推算起來祥貴人腹中的胎兒；會比自己的孩兒早出世，這會造成自己孩兒繼承大統的順序不利。因為道光的長子是區區宮女生的，二子和三子早夭，所以雖然是第四個兒子的順序，但這個位置還是非常值得爭取的！於是她利用御醫視診的機會，詢問御醫：可有保胎速生的藥方？御醫回答：「有是有，但這個胎兒出生後，先天不良恐不長命……」全貴妃為了比祥貴人早產，還是跟御醫說：「我想讓他早生，你可以試一試，如果生了個大阿哥，我必有重賞！」

這個胎兒就是後來的咸豐皇帝奕詝。不知道這個故事是不是穿鑿附

會？歷史上的咸豐皇帝確實是個早產兒……本來就先天不良了；奕詝還後天失調，沉迷於後宮的脂粉堆中，不過說也奇怪，咸豐皇帝的好色是歷史榜上有名的，但也只有二男一女的後代數量，其中皇次子「憫郡王」出生不久就夭折了，如此才讓皇長子載淳的生母——孝欽顯皇后（慈禧），登上了歷史舞台。如果奕詝的身體強壯一些，多些子嗣，有沒有慈禧參政的機會，還是未定之數呢。如果上述的傳說故事是真的，那一帖藥間接影響中國百年的歷史結果，真是標準的蝴蝶效應。咸豐十一年八月二十二日，咸豐皇帝在「太平天國」、「英法聯軍」等等內憂外患之中，於熱河避暑山莊去世，享年三十一歲，果真命不長。

孝全皇后生下奕詝三年後正式封為皇后，統攝六宮！做了六年皇后之後，突然在「承乾宮」中猝死，年三十三歲。事涉宮闈隱祕，似乎和孝和皇太后（嘉慶皇后）有關，道光皇帝震驚之餘，竟不敢聞問，只有親自為她擇了「全」字的諡號，來肯定她的優秀。

順治皇帝朝服像　　　　孝全成皇后朝服像

# 被人遺忘個性的女中豪傑：
## 鐘粹宮

由「承乾門」西行回到「東長一街」繼續北向，然後從「大成左門」東轉不久，馬上就到了「鐘粹宮」。之前已經介紹了四座宮殿的故宮，每一個宮中的女主人們，命運似乎都有個共通點，例如：「承乾宮」的女人都是升官快、「永和宮」的主人都以沉默為賢、「延禧宮」的人要自立自強等等。而拜近年宮庭戲的盛行，「鐘粹宮」中女人被人誤會，也成為了常例⋯⋯

「鐘粹宮」中第一個被人誤會的女主人，是雍正皇帝的烏拉那拉氏，不管是《後宮甄嬛傳》或是《如懿傳》的劇中，都安排烏拉那拉氏死於雍正皇帝之後，而且雍

鐘粹宮圖示

鍾粹宮

正還留下遺旨：「生死不復相見」，根本就是張飛打岳飛，整個時空錯亂！第二個被人誤會的是《延禧攻略》中的高貴妃，正史中她和當時的富察皇后聯手，把後宮的氣氛搞得好像「手帕交」的放大版似的，結果被人演成那樣。第三個就是慈安皇太后，明明是女中豪傑，卻留給世人懦弱的印象，都是戲劇節目害的。

慈安皇太后紐祜祿氏、鑲黃旗人。當咸豐皇帝還是皇子時，慈安就是他的側福晉（嫡福晉在咸豐登基前就過世了）。咸豐登基後，故意給紐祜祿氏一個「貞嬪」的封號，這在後宮中的地位，只比答應、常在這種低等妃子高一點而已。誰想到在短短的時間之內，慈安就從嬪、妃、貴妃（跳過皇貴妃）一路升至皇后的位置，僅僅只用了兩年六個月而已，可以說創

了由中階妃子到皇后地位的最速紀錄！咸豐帝當年之所以沒有一下子就封慈安為皇后，而是一步步、一階階的進升她，就是向人強調暗示：慈安在皇帝的心目中，一天比一天重要！如果這還看不懂的話，咸豐將他小時候的生長地「鐘粹宮」賜給她做居所，這夠明示紐祜祿氏的地位了吧！因為皇帝即位前的居所稱為「潛龍邸」，在清代慣例中：是不能再由家人居住，而慈安卻偏偏破了這個例，可見得慈安的身分非常貴重！

我們現在談起的慈安，給人的印象不免是個懦弱、沒有主見的女人，那是戲劇中常借此來襯托出慈禧的強勢和囂張。但是，我們可以從史書中的幾件事，看得出慈安實際上事事壓在慈禧的頭上。

例如：同治八年太監安德海，奉慈禧之命住江南為同治置辦龍衣。這本來就違反了「太監不得外出」的禁命，既然如此，你老兄低調一點，大家也就睜一眼、閉一眼就過去了，可是他偏偏大張旗鼓，以欽差大臣身分自居，一路上勒索州縣、騷擾地方。途經山東境內時，被山東巡撫丁寶楨拿獲。丁寶楨將此事上奏朝廷之後，由於慈安的旨意之下，安德海在山東就地正法了！根本就沒把安德海是慈禧的心腹寵臣一事放在心上。

還有同治十七歲時，即將舉行大婚。慈安和慈禧各有中意的皇后候選人，兩人各執己見，最後雖然表面上決定交由同治自己決定，但結果同治採納了慈安的意見，立了崇綺之女「阿魯特氏」為后，此事表明了慈安在宮中、在同治帝心中擁有崇高地位和影響力，如果沒有了慈安的意思，很可能同治就會依慈禧的意思選了別人做皇后。

特別是當時中國境內有「太平天國」做亂，外有英法列強的侵犯，統合人心的皇帝年紀又小，處處充滿了亡國之兆！正當此滿清政權搖搖欲墜

之際，慈安能以一個女人的身分在患難中安定人心，對內重用文祥、倭仁等重臣、對外起用曾國藩、左宗堂、李鴻章等漢將，對穩定當時政權起了莫大的作用！她和慈禧相比，一個以德服人、一個以才制服人，二個女人合作共創了「同治中興」的年代。只是慈安對權力不感興趣，所以日常朝政多由慈禧出面處理，但遇到大事慈禧還是必須尊重「嫡庶之分」的位階，和慈安商量著辦的。在當時的大臣心中安尊禧卑的心態，可以從一個事件上看得出來⋯⋯

光緒七年，慈安逝於「鐘粹宮」，禮部呈奏慈禧的葬禮行禮單上有一句：「慈禧太后率領宮眷等，於某日行禮⋯⋯」。慈禧見了非常不悅！質問恭親王奕訢（咸豐之弟）：「⋯⋯慈安皇太后為太后，難到我不是皇太后嗎？同是皇太后，為什麼我得給她穿重孝行大禮？」恭親王奕訢表示：由於慈安是「上母皇太后」而慈禧是「聖母皇太后」，論地位是差了一級，按

慈安皇太后常服像

太平天國天王玉璽

朝廷禮制不可不遵。慈禧不服！後來又招李鴻藻（同治老師）和禮部大臣質問相同的問題，卻得到相同的答案。慈禧憤怒地問：「……假如我死在她前頭，她也應該給我穿孝行大禮嗎？」禮部大臣延續回答：「照例不行大禮！」慈禧厲聲道：「為什麼？」延續回答：「『上母皇太后』是在『聖母皇太后』之先，臣等不敢不遵章奏請……」延續話還沒說完，慈禧拍桌哭喊著：「你等眼中還有我沒有？」

從上面的小故事來看，慈安在逝世當時，眾大臣對慈禧的態度，尚未到唯唯諾諾的地步，可見慈安的影響力有多麼巨大了！至於慈安的逝世非常的突然，突然到後世對這件事諸多的懷疑，甚至認為是被慈禧毒殺的！

當時光緒七年（西元1881年）春天那天，宮中傳出慈禧身體不適，無法處理朝政，至於病情則不清楚。到目前為止，還在正常的範圍，因為其實一般重要人物的病情都祕而不宣，怕引起不必要的恐荒。正當眾臣猜測慈禧的病情時，突然在光緒七年三月十一日，宮中傳出慈安逝世的消息……一時間大家還以為是慈禧的誤傳。

令人弔詭的是，慈禧第二天令翁同龢等重臣入宮，在「鐘粹宮」中觀看慈安遺體時，慈禧當場面無表情的坐在一旁……關鍵在於史書上沒有記述慈禧當時是否抱病在場？臉色是否仍有病容？只記載「面無表情」。這份歷史紀錄細想之下，似乎存在著令人懷疑的地方，如果之前慈禧是裝病呢？這一點就給了後世諸多的幻想。

事實上……近代學者研究《翁同龢日記》中發現慈安曾有二次暴病的發生，可能是她突然去世的前兆，一次是慈安二十六歲，第二次是三十三歲時，都有「……不能言語……」等字彙紀錄。用現代的醫學來看，推測

慈安有「腦供血不足」的現象，也就是急性腦血管疾病方面的潛在危險。如果真是腦血管疾病的急性發作，用現代醫學技術而言都是極度危險的病症，何況一百多年前的醫學，所以慈安應該不是如小說中所渲染的：被慈禧毒殺……

不管如何，慈安這個「上母皇太后」的障礙的消失，普天之下再也沒有比慈禧更大的人物存在了，慈禧終於可以毫無忌憚地展開自己的另一頁人生了，那是另一段的故事了。

鍾粹宮

# 請皇帝來鎮壓的
# 景陽宮

「景陽宮」是東六宮的最後一宮,由「鐘粹宮門」東行,經過「迎瑞門」和「昌祺門」後,就到了「景陽宮門」了。這裡因為沒有戲劇的宣傳,所以知名度沒有前面五座宮殿顯著,但它的另一個名字倒是家喻戶曉,就是「御書房」。為什麼把皇帝的書房設在女人的宮殿中?其實清代二百多年中,沒人要居住在這,這可能是因為明代的一個故事,使得鬼影幢幢,不得不倚靠天子的威儀,來安定人心。這故事要從明萬曆九年那天說起……

景陽宮圖示

那天年僅十九歲的朱翊鈞(萬曆),到「慈寧宮」向生母李太后請安,適逢太后外出不在。萬曆見到母后的侍女,十六歲的王氏「雙眼包皮(雙眼皮),口若含珠」,說話做事都很討人喜歡,就一時興起臨幸了王氏。事後沒良心的朱翊鈞拍拍屁股走了,就當沒這會事……沒想到王氏就此懷孕。李太后發現之後詢問兒子,沒想到萬曆抵賴不認,於是太后召來皇帝的《起居注》舉證後,朱翊鈞還認為只

起居注

是一個宮女而已，沒什麼了不起。這句話可觸怒了太后，厲聲說道：「你老娘就是宮女出身的，怎樣！」面對母親的憤怒，萬曆不得不承認自己做的好事，但只是承認而已，沒有對王氏進行任何封賞，數月之後王氏還是以宮女的身分，生下萬曆皇帝的長子，也就是後來的光宗皇帝——朱常洛。

之後萬曆硬是又拖了半年多才封王氏為「恭妃」，遷入這座「景陽宮」來，可是形同幽禁。另一方面，從民間而來的鄭貴妃，成了皇帝的頭號心頭肉。萬曆十四年，鄭貴妃生下皇三子——朱常洵（皇二子一生下不久就夭折）後，就一心想讓兒子當上太子，但明代一直有立長子為太子的傳統，因此王恭妃母子成了礙眼的人物了。

現在我們看到的電視連續劇中，表現得的心機沉重的女人，大都是編出來的，只有萬曆皇帝的鄭貴妃才是真正的陰狠毒辣，為了除掉王恭妃母

子，先後搞出了《妖書案》、《梃擊案》等等計謀，來打擊太子的聲譽和生命安全。最嚴重的是鼓動皇帝罷朝，來爭取更換太子。這一罷就罷了近三十年，歷史上稱為《爭國本》，這一事件極度的傷害了國家根本，成了國家滅亡的遠因。

萬曆二十九年，皇帝終於迫於群臣和生母的壓力，正式冊立朱常洛為皇太子[16]，但是多年的怨氣全發洩到恭妃身上，王氏不但沒有因為兒子成了太子，得到晉升或能出宮走走，反而被狠心的萬曆，將她所居住的「景陽宮」大門加上大鎖，封閉在裡面，而且不准太子前往。王氏還是以恭妃的身分，在這個小小的四合院中，被關了十年……

萬曆三十九年九月，王氏病危，兒子得到消息後，來到「景陽宮」奮力破壞門鎖，進入宮中後才發現母親早已瞎了雙眼……最後恭妃以手代眼，撫摸著兒子的臉，只說了一句：「兒長大如此，我死何恨。」就斷氣了。年四十六歲。

如果王氏以自己的錐心蝕骨之痛，能夠換得兒子的一世平安，這也就算了，可是萬曆四十八年八月一日，兒子朱常洛登上了皇位之後，一方面他被壓抑太久太久了，需要好好的發洩一下多年來的怨氣，另一方面對他欲除而後快的鄭貴妃，不安好心地送了新皇帝數名美女（有六名八名之

---

16 萬曆萬般無奈之下，封朱常洵為福王，就藩於洛陽，得莊田二萬頃，並且賜予了大量的賞賜。朱常洵到了洛陽並不知足，在洛陽橫徵暴斂，得財寶無數，史書形容：「民間藉藉，謂先帝耗天下以肥王，洛陽富於大內」，洛陽成了朝廷管不到的國中之國。崇禎十四年（西元1641年）李自成攻破洛陽時，朱常洵已吃成一個大約220公斤的大胖子。後來李自成將福王身上肉割下來，和福王皇家園林中的梅花鹿一同烹煮，在洛陽西關周公廟舉行宴會，賜給部下食用，名曰「福祿宴」。朱常洵多年暴斂的錢財，成了闖軍的軍費，直到攻入北京城時都沒能用完。

上｜景陽宮正殿　下｜景陽宮-御書房

說），鼓勵皇帝瘋狂的縱欲，結果僅二十幾天身體就不行了。司禮監兼御藥房的太監——崔文升，這時竟然讓皇帝吃瀉藥補身（正史上沒寫是鄭貴妃授意，但應該脫不了關係），使得光宗因此連瀉近四十次！之後皇帝服用了鴻臚寺李可灼進獻的兩顆紅丸[17]，於即位的第三十九天暴斃身亡，歷史上稱為「紅丸案」。如果真有另一世界的存在，朱常洛不愛惜自己的行為，要如何面對為他吃盡悲苦的母親？因此這裡也成為傳說最盛的地方。

到了清代之後，不知道是不是上述的事件，使得「景陽宮」沒有人敢入住，而成了皇帝儲藏圖書的地方，也就是大家熟知的「御書房」。一直到三百年後的今天，天黑之後還是沒人敢靠近這裡。順帶一提：身後的王恭妃，雖然被孫子明熹宗——朱由校追封為「孝靖皇太后」，遷葬定陵與丈夫萬曆合在一起。但三百年後，中國發生「文化大革命」，王恭妃的遺骨被紅衛兵吊起來批鬥，最後一把火燒得乾乾淨淨，徹底消失在歷史中，連個名字都沒有……

孝靖皇后諡寶

---

17 所謂的「紅丸」就是「紅鉛金丹」或「三元丹」。民間傳說：是採集處女的第一次月經，加上夜半的第一滴露水及烏梅等藥物，煮過七次，變成藥漿，再加上紅鉛、秋石（人尿）、人乳、辰砂、松脂等藥物炮製而成。

# 太上皇一天都沒住過的
# 寧壽宮區

「寧壽宮區」位於東六宮的東方，由於故宮對於參觀方向的管理，所以必須從「東一長街」回到「乾清門廣場」，穿越「景運門」之後前往。在「景運門」之前（「東一長街」頭）有個清代的「外奏事處」，除了傳遞「奏折」傳送諭旨之外，也兼負辦理申請晉見皇帝的事前作業。

當時的宮廷制度有「內奏事處」和「外奏事處」的區別。「內奏事處」的人員均由太監擔任，「外奏事處」則是由御前大臣任職。官員要晉見皇帝時，必須先至「外奏事處」遞牌。所謂的「遞牌」有點像名片交到「外奏事處」，該處一看到紅色簽頭就知道是王公等的人要見皇帝，綠色是大臣來申請。然後將這些名片交給「內奏事處」，安排時間賜見。這是避免外臣與內侍勾結的措施，此外各地和藩屬所進貢的物品，也是由「外奏事處」先代行接收。

「錫慶門」是「寧壽宮區」的入口，門內的南側就是著名的「九龍壁」！這道牆壁寬29.4公尺、高3.5公尺、厚2.06公尺，由247塊琉璃磚拼砌而成的。中國的飛龍型

態可以分為龍首在上的「昇龍」、龍首在下的「降龍」、正面龍首的「正龍」和身體平行的「行龍」四種。在這道琉璃九龍壁，以中央黃色的「正龍」開始，向左右「降龍」和「昇龍」的形象相互交替延伸，這些過動兒的體態矯健、活靈活現地共同飛騰在翻涌的海水上，是中國最美的影壁。

在壁上東側、數過來的第三條白龍，它的腹部居然是一塊木頭雕刻的蜃腹，這是為什麼？有人猜測：可能是當時這塊琉璃磚燒壞了，趕不上驗收時間，為了避罪，工匠臨時用木材刻了以後，刷上油漆補了上去，極可能是油漆調的非常好，能散發相同的琉璃光采！不但糊弄了驗收官員，更讓乾隆這個大行家走了眼。二百年的時間過去了，光彩奪目的漆還是敵不住歲月的考驗，消失在歷史的時光中，顯示出那時驚心動魄的一刻……

「九龍壁」的背後是儲藏戲劇服裝道具的「戲衣庫」，面對的是「寧壽宮」的正門──「皇極門」。這整塊地方是紫禁城內是一座大型的宮殿

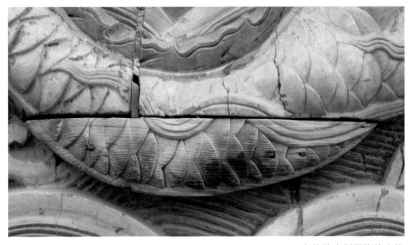

九龍壁木製蜃腹的白龍

群，叫做「寧壽宮區」。它的東西寬115公尺、長406公尺，由於結構類似故宮內的中軸線上「前朝後廷」的結構，因此又稱為「小故宮」。

在「寧壽宮區」的前半部，是以「皇極殿」為主，而後半部又可以分為西、中、東三條路線，就是西路的「寧壽宮花園」，中路的「養性殿」、「樂壽堂」等建築物，以及東路的「暢音閣」等等。

## 寧壽宮

整個建築在明代時，這裡是後宮嬪妃養老的地方，有「仁壽宮」、「噦鸞宮」、「喈鳳宮」等建築物。到了康熙二十八年時，改造為「寧壽宮」成為奉養皇太后的地方，乾隆三十六年又再度改造，就成為今天我們所看到樣貌。原本是乾隆準備自己養老的場所，可是卻從來沒在這裡住過，最後成為慈禧晚年居住的地方了。

寧壽宮的正門「皇極門」，是故宮琉璃門中製作最為精細的，有「琉璃之冠」的稱呼。過門之後又是一片開朗的廣場，「寧壽門」就是這個廣場的北向大門。它的型態和「乾清門」很像，一樣有兩側八字琉璃影壁和鎏金銅獅，過門之後的建築物，它外表和「乾清宮」如同攣生兄弟似的，叫做「皇極殿」。這裡的布局也和「乾清宮」一樣，有「月台」、「萬壽燈」的基座，以及「嘉量」、「日晷」、「銅鶴」、「銅龜」等物品。

在這座宮殿中，曾經上演過一幕動人的場景，那是抱病的康熙為了孝惠章皇后，所進行的「彩衣娛親」。孝惠章皇后是順治皇帝的第二任皇后，與孝莊太皇太后是同族，是中國歷史上在皇太后位置上時間最長的人！雖然孝惠太后不是康熙的生母，而且也僅大了十三歲而已，但康熙事母至孝，在康熙四十九年，孝惠太后七十大壽時，康熙不顧自己身體

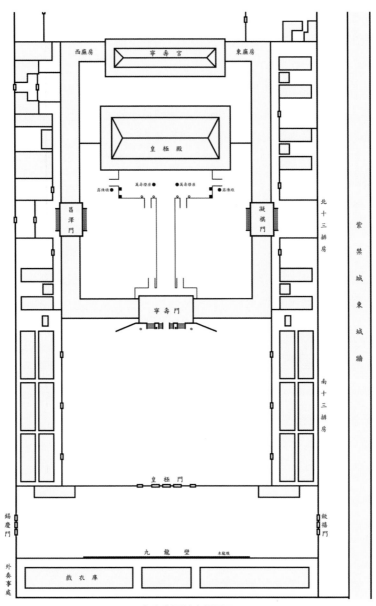

寧壽宮區前半部圖示

皇極殿

不適，忍著腳面浮腫的疼痛，在太后面前跳「蟒式舞」來取樂祝壽太后。「蟒式舞」是滿族禮儀的最高規格的舞蹈，這種舞蹈動作繁複，有「九折十八式」之稱，向來是大臣在皇帝面前表演的。康熙抱病而舞，為後世留下孝順的楷模。

「皇極殿」是故宮中少數可以走進去的大型宮殿，在進入「金磚漫地」的殿中之前，可以看到殿前一對「露陳墩」，上面浮雕著許多美麗的圖紋，這是漢白玉所製的須彌座，專門露天陳設青銅器用的。

入殿之後，正中央上面的「仁德大隆」匾和兩側的對聯，是慈禧的手筆，大匾兩側的「璇琯添籌」和「九如凝釐」匾是光緒題的，這兩塊匾的後面還有兩塊匾，也是慈禧寫的。在「仁德大隆」的下方是御台寶座，是近代重新製作的，原件在六十年代時搬到瀋陽故宮之中了。雖然如此……我們還是可以近距離的觀察殿中「瀝粉貼金」的金柱，好好的欣賞這些通身貼金箔的古代工藝，以及「太平有象」的藝術品。

這件意喻天下太平的「太平有象」值得好好介紹一下。這件作品可能是故宮之中，最大的「掐絲琺瑯」成品。象身上的紋路清晰，被在象背上鞍座做工精細、層次分明，尤其所馱的寶瓶堪稱絕世精品！上面的花卉浮出立體，代表福、祿、壽的蝙蝠、佛手、壽桃格外的凸出搶眼。銅製的底部上也是布滿了蝙蝠和壽字紋。

　　在這座大殿之中，可以欣賞到「太和殿」中無法看到的「鎏金蟠龍藻井」！這個藻井由上而下共有九層，象徵九重天，其中有圓形、八角形、方形三種層就象徵著古代天圓地方及八方四海的宇宙觀。中央一條金蟠龍張牙舞爪翻雲滾浪而下，四周金鳳展翅、百鳳朝龍，非常壯麗。蟠龍口中銜著一個渡著水銀的圓球稱為「軒轅寶鏡」，歷代皇帝也在這個寶鏡正下方登基，藉此表示延續黃帝軒轅氏的正統。

　　之前雖然一再提到：紫檀木所製家具的可貴，但一直無緣就近來看，現在終於可以在這裡一親芳澤了！殿中兩側的「紫檀龍櫃」雖然不是故宮最大的家具，但能這麼近的距離，來接觸如此珍稀的文物，也足以大慰平生了！什麼？您說：不能理解有多珍貴？那這麼說吧，這個木櫃是用生長千年的木頭作的，而且現在全世界已經沒這樣大的材料了！這樣可以知道它的彌足珍貴了吧？兩側櫃旁各有一個「毗盧垂花門」也要介紹一下。「垂花門」通常是界定公開場所與私人領域的標誌，而在「垂花門」加上佛祖頭上所戴的「毗盧帽」，就叫「毗盧垂花門」，是象徵無上的等級，也就是這道門後，是皇帝的私人空間。

　　這裡曾經在嘉慶元年時，舉辦過最後一場的「千叟宴」，這次宴會的參與人數也是最多的，共有5900多人參加，年齡最高的是從安徽來的106歲熊國沛！值得一提的事是：鑑於上次宴會時，由於人太多了，許多菜上

上｜皇極殿內御座　下｜寧壽宮

來的時候都冷了，所以這次聰明的和珅，在餐盤下安置了一個小火爐，保證每桌上都是熱菜！這一點在今天的餐廳中還能看到，不得不說和珅的細心，是讓他受寵的原因。另外慈禧也是在這舉辦她的六十壽辰典禮（那時黃海上北洋艦隊正拼命搏殺），真巧！多年後她的告別式也是在這裡，生日和葬禮都在同一個地方。

穿越「皇極殿」之後，才是真正的「寧壽宮」所在。這裡和「坤寧宮」一樣是薩滿教的祭祀場所，也有煮肉的鍋灶和其他的法器。這個建築物的西側，是大太監李蓮英所住的「西廡房」，東側是二總管崔玉貴的居所「東廡房」。

過了「寧壽宮」之後，又是一個小廣場，這時我們的前半部也走完了，後半部分有些複雜，有西、中、東三條路線，在此之前可以到「寧壽宮」東側的背後，看看它灶房的煙囪，居然頂部還是用銅做的呢。

# 縮天地於一方：
乾隆花園

　　「寧壽宮花園」又稱為「乾隆花園」，在廣場西側的「衍祺門」內。這座花園始建於乾隆三十七年，四年後完工，南北長160公尺、東西寬37公尺、占地面積5920公尺。在當時國家政局穩定、財力雄厚的支持下，因此「乾隆花園」的設計極具巧思的意涵，在一個侷促的空間中，表現出山水天地的氣概！無論是從布局、藝術、文化上都獨具一幟，堪稱是集大成之作！它以天然的奇石區隔了四個院落，各個院落中的山石，採用了不同的

乾隆花園-古華軒

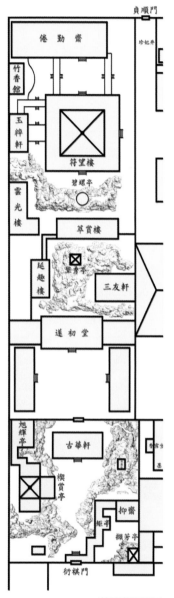

乾隆花園圖示

疊壘技巧，有單獨的奇石，也有組成秀麗的山峰，並且與周圍的建築物結合，人們遊覽其中，有時覺得緊湊，有時又豁然開朗，開合動靜之間氣氛各異，是中華園景中的奇葩！

從「衍祺門」進來之後，這裡是以「山水之間」為主題的第一院落。在「衍祺門」內的東側有一段曲折的遊廊，通往「矩亭」和「抑齋」。在這個獨立的小院中，東南角落上有座假山，山上有「擷芳亭」可以登到亭中，初步欣賞這座園林。行走在院中的「矩亭」裡，可以看到頂部有「萬字不到頭」的圖案，和乾隆御筆所題的矩亭二字。而緊鄰的「抑齋」原本是座小佛堂，它裡面有暗道可以通往「養性殿」西配殿的佛堂。其實在花園中有多處地方，是和「寧壽宮區」中央相通的，可以讓宮中的主人，隨時進入這個休閒場所。由「抑齋」北向出去之後，西轉穿越假山洞就來到第一院落的「古華軒」前，也可以原路返回到「衍祺門」中。

如果從「衍祺門」的正向北行的

話，經過兩座巨大的假山，所形成的曲徑之後，就能看到這個院落的主體建築——「古華軒」。這個建築物周遭開敞，可以欣賞四周的風景。軒中的天花板是用昂貴的楠木，所雕刻的立體花卉。軒內有四塊匾額，都是乾隆頌嘆軒前的古樹所寫，所以乾隆應該是極喜愛這棵古樹。

「古華軒」的西側有個「禊賞亭」，是取王羲之《蘭亭序》為典故所興建，在亭中的欄板上刻劃著許多竹紋，就是仿當時《蘭亭序》「茂林修竹」的創作背景……亭中地板上設有九曲十八彎的「流杯渠」，是進行「曲水流觴」活動的道具。這是古代文人雅士的一種消遣娛樂方式，辦法是將一個酒杯，用盤子盛著漂浮在水面上，然後設一個文學主題後，讓酒杯開始流動。以酒杯到達面前的時間為限，設想出符合主題的文句，違反條件的人就要喝掉酒杯中的酒。「禊賞亭」的對面有個巨大的假山，假山之中有通道可達山上的「承露台」。通道內是個小佛堂，佛堂的東壁上刻有佛經，冬天初昇的陽光可以映在經文上。原本台頂有個銅盤，是用來收集清晨的露水。

第一院落的最後一個地方，是在院內的西北角落，在一座巨大的假山上，有個「旭輝亭」，可以在上面欣賞日出。

過了一個小門是花園的第二院落，用「寧靜安祥」為表現主題，顧名思義可以想像這裡環境相當的雅致幽靜。這裡以「遂初堂」為主體建築，「遂初」是達成願望的意思，乾隆用這二個字的背後故事是在他登基之初，曾經許下一個心願，希望能和爺爺康熙一樣執政六十年，後來果真達成願望，故名「遂初堂」。其實這個願望非常的巨大！別看皇帝被萬歲、萬歲叫著，要知道三千多年歷史當中，有多少個萬歲活沒超過六十歲，像他爺爺一樣做皇帝超過一甲子的，在乾隆之前是唯一的例子！所以後來能

貫休所繪羅漢-拔嘎沽拉尊者

達到這個願望，真的值得造個建築物紀念一下。不過他們爺孫倆也用了清代接近一半的歲月，剩下的時間讓八個皇帝去分，還讓不讓人活啦！

不要被「遂初堂」背後的假山嚇到，以為花園的範圍到此為止，其實這裡就是以「山棲谷飲」為主題，所以山窮水盡疑無路，從西側繞過去之後，柳暗花明又一村！經過院中的「延趣樓」之後，登上「聳秀亭」去觀看峰巒翠疊、奇石峻峭、洞壑邃幽的景象。從亭中向下看，可以看到懸崖峭壁，洞谷幽深……山谷中有的建築物是「三友軒」，這個建築物和中線的「樂壽堂」相連。它的內部以歲寒三友為主題布置，其中以紫檀木雕刻的松、翠玉形成的竹和白玉的梅，所組成的圓光罩堪稱一絕！可惜現在暫不開放，無緣入內一睹風采。

沿著「延趣樓」西邊的遊廊，可以到「雲光樓」，到了這裡，也到了以「倦勤隱趣」為主題的第

四院落了。「雲光樓」樓中原本收藏有二件寶貝，一個是「紫檀十六羅漢屏風」，另一個是「園林嬰戲圖」通景畫，不過這兩件作品現在都在「首都博物館」裡。不過既然提到了，就簡單介紹一下：屏風上羅漢的形象是五代時期，著名畫僧貫休所繪，據說他依夢中的記憶所畫就的，這些羅漢大都濃眉大眼，高頰隆鼻、形象有些誇張，被稱為「胡貌梵相」。這些絕世作品，受到古今中日雙方藝術家的極高推崇，對它的論述也始終不絕於書，是屬於華人世界的一份驕傲！

1757年，乾隆第二次下江南時，在杭州「聖因寺」中，看到貫休所繪製的這一套圖，乍見之下就極為喜愛！所以特別把它們帶去北京和三世章嘉活佛，共同考定它們的次序，並且親筆寫跋文，然後又送回「聖因寺」中。可是乾隆還是對它們念念不忘，於是在北海公園「妙相亭」中的佛塔上，刻畫下它們的形象以做紀念，而且還特別製作了一套「十六應真墨」時常把玩。乾隆四十二年時，大臣國泰應其所好，以紫檀木為底，用和闐白玉鑲嵌了「聖因寺」十六羅漢的形象，不但如此，還把當年乾隆所題的跋文也刻畫上去，背面用金箔描繪了各種花卉、怪石、古松等等，是件絕世國寶！因為寺內的原畫已經消失在戰火中了。

「雲光樓」內另一個寶貝是「園林嬰戲圖」通景畫，這是一種具有西洋透視效果的壁畫，與室內其他建築巧妙的銜接在一起，看起來好像景象向前延伸一樣。這幅壁畫是個「貼落」，也就是一個可以隨時移動的意思，只要有掛鉤的地方，都可以懸掛起來，和周圍環境融合在一起。圖中所描繪的是乾隆對兒孫滿堂的盼望，可惜大家都知道，乾隆之後的皇嗣逐漸稀少，到光緒時，甚至要由旁支來出任帝位，不得不說是一種諷刺。

「雲光樓」的樓上有石橋與假山連結，可以到頂部的「碧螺亭」。這

座涼亭用了多種顏色的琉璃，看起來絢麗多姿！它的頂部做成一朵含苞待放的梅花，每片花瓣上刻畫一朵純白的梅花，托著朵朵梅花……樹立在一個五瓣狀的須彌座上，以此為依據，向下延伸五條脊樑，從空中俯視時正如一個盛放的梅花，而且亭內圖案全是採用梅花形式，所以這座亭子又稱「梅花亭」。

「碧螺亭」的南邊，有凌空石橋連接剛才的「萃賞樓」，也可以由兩側的石階回到地面，來到「符望閣」前。這座閣樓是個「寧壽宮花園」中最大的建築物，也是全園的主景建築。它外表看似二層實際三層，內部以各種類型的裝飾來區隔空間。

提到這裡的隔間裝飾，更是「符望閣」中的一大特色，在故宮之中無出其右！您能想得到、想像不到的方式，都能在這裡看到……什麼把金玉、琺瑯、螺貝等等，鑲嵌在雙面繡上，成為各種木材上的圖案和顏色的一部分，總之就是打破器物的界限！到此你才會讚嘆工匠的奇思妙想。要全覽閣中的景色，至少需要轉動二十個觀賞角度，可是這段旅程曲折迂迴、間隔縱橫，而且地面高低起伏，往往迷失方向，所以又有「迷樓」的稱呼。閣中另一特色是床榻眾多，可以隨時坐臥，這些都是針對老年的乾隆所設計的。

「倦勤齋」是花園中最後一個建築物，是乾隆的娛樂室，裡面的西邊有個小戲台，稱為「倦勤齋戲台」。這裡的天花板和西北兩面牆壁，是郎世寧和中國弟子王幼學共同完成的通景畫，可以將視野延展出去……尤其天花板上繪成一個藤蘿架，從藍色的花朵樹技之間，可以看到湛藍的天空。從舞台前的一個特殊定點上望，會驚豔的發現，藤蘿花從架上一簇簇垂落下來的幻覺，但這一切都是畫出來的。

乾隆花園-倦勤齋

符望閣

乾隆花園-倦勤齋小戲台

# 慈禧奢華的生活：
# 養性殿

養性門

　　「寧壽宮區」的後半部，在中軸線上，有三個主要建築，由南至北分別是「養性殿」、「樂壽堂」、「頤和軒」。剛才的「寧壽宮花園」就在這三個建築物的西側，原本兩者是相通的，但是由於故宮線路的安排，還是必須回到「養性門廣場」上，從「養性門」進入它中央的生活區。也是從這裡開始，包括剛才的「乾隆花園」，才算真正進入一個私人領域的地方，而不像南邊的建築尚有點公務性質的味道。

　　過了「養性門」之後，正前方的建築物是「養性

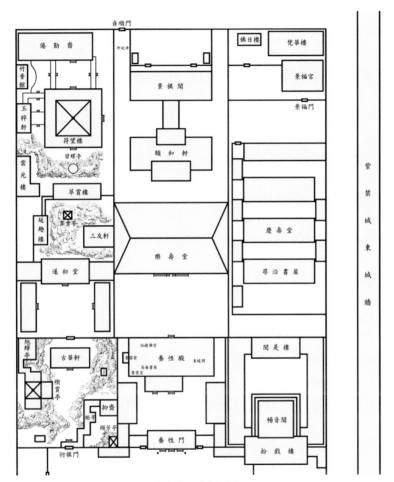

寧壽宮區後半部圖示

殿」，聽這個名字是不是和著名的「養心殿」很像，事實上它們倆真的是兄弟，不但外表類似，就連內部布局也相同，在「養心殿」內的東西暖閣、休閒用的西稍間，甚至仙樓佛堂等等布局，在「養性殿」內全部一個不差的複製過去。這樣的設計可能是讓老年的乾隆搬來時，能盡快習慣它，可是乾隆成了太上皇之後，還是放不下權力，不甘心在這裡生活，所以沒在這裡住過一天，使用這座宮殿最多的是慈禧太后，她把這裡的「東暖閣」專門拿來吃飯用。

慈禧的「吃」已經是個歷史典範了！根據近代學者研究她的食材，可以有四大特色：一不吃冰冷食物、二重視飲茶，常會加入當令花卉，享受芳香和美感、三愛吃含膠原蛋白的肉類、四選擇好消化的食物。可以從這些特點可以看出慈禧是個重視美容和養生的。

曾在慈禧身邊任職侍女——德齡，在她所著的《御香縹緲錄》一書中，對慈禧的飲食有下列的紀錄：每天有兩餐是規定的正餐，每次都有一百道菜左右，還有兩次小點，雖然叫小點也有五十道以上。每次餐桌上各式各樣名貴的大菜，煎煮燒烤、各種小吃，應有盡有，而且御廚每天都想盡辦法，變化菜色，有時也在民間找尋新的廚師，這使得慈禧的「壽膳房」廚師經常保持在五十名以上！每一天的費用都超出太后八十兩的預算，這個費用可以讓普通人家過上富足的一年半呢。

「養性殿」的「東暖閣」是她吃飯的地方，而「西暖閣」之中，是乾隆的書房「長春書屋」，屋的西側是「墨雲室」，在「養心殿」的布局中，這個方向是乾隆收藏古代書法的「三希堂」所在，而這裡是乾隆收藏「李延珪墨」的地方。李延珪是南唐李後主的製墨大家，所製的墨有「拈來輕、嗅來馨、磨來清」的特性，深受李後主的激賞。有「黃金易得、李墨

難求」之稱，所以乾隆不惜餘力，收藏了幾塊「李墨」在這裡，所以叫做「墨雲室」。

「墨雲室」的北方，有個仿「養心殿」西耳室「梅塢」而建成的「香雪堂」，特別的是這個房間前面，用白色的石頭巧妙的搭建一個拱，看似「香雪堂」在一個山洞內！「西暖閣」北側還有個上下兩層結構的建築，稱為「仙樓佛堂」。和「養心殿」的「仙樓佛堂」一樣，佛堂中央樹立一個紫檀木所製的寶塔，高約五公尺左右，達到二樓的高度。這座寶塔呈現七層八角閣樓的形式，製造的非常精巧。二樓共有四十四張各個神佛的唐卡，環顧四周布置而成。

## 暢音閣

「養性殿」前東側的小門內，目前僅開放了一座紫禁城內最大的「暢音閣」戲樓。這座戲台興建於乾隆三十七年，有近二百五十年的歷史了。

暢音閣

它與「頤和園」內的「德和園」、「避暑山莊」的「清音閣」並稱清代三大戲樓。

這座戲樓一共有三層舞台，上層稱為「福台」，中層稱為「祿台」，下層稱為「壽台」，尤其是「壽台」的設計最是精巧！它的舞台內也有上下兩層，以左右兩座曲形樓梯連接，這可以讓「故事」的表演場地更加生動。舞台的頂部有暗門，可以把演員被吊下來，如果演什麼神仙「下凡」的情節時特別好用！地板上也有許多的孔洞，如果有類似「水漫金山」的戲碼時，「壽台」的底部有口水井，工作人員可以從井中取水，然後用消防的「激桶」把水沖上來，形成水幕噴泉，這一點在現代舞台都很驚艷了，何況是百年前！

「暢音閣」的對面是「閱是樓」，是欣賞「暢音閣」三層舞台表演的地方。說是「樓」其實還不足以形容它，因為這座樓的底部是個超級大炕！冬天老佛爺到此看戲時，底下用萬斤的炭火，把樓中烘得一片春意盎然，讓她老人家在一片春風中，看盡人生百態。

慈禧一生酷愛戲劇，每個月固定看二場，重要節日的話，可能連續看幾天。她曾經讓「寧壽宮」的太監們，組成專門的戲班子，稱為「普天同慶」又稱「本家班」，來滿足自己的欲望，也時常令「名角兒」進宮來唱。有記載說光緒二十年，慈禧六十歲生日這天，從「頤和園」回京的路程中，在道路兩旁光搭臨時戲台就有二十二座，然後在「暢音閣」連續上演幾天大戲，每次表演六、七個小時……這次大壽裡只是用在戲劇方面，就高達五十萬兩白銀（這時黃海上的艦隊，如果能用這筆錢，換裝射速炮多好）。

樂壽堂內豪華裝飾

## 樂壽堂

「養性殿」的北方是「樂壽堂」。這座宮殿在故宮的知名度不是很高，但卻是我們所接觸的殿宇中最豪奢的。它的內部用了減柱的方式，使得空間非常開闊，而且堂中的任何小地方，無不精雕細琢的裝飾，越是留心堂中的細節，越是感嘆堂中的豪奢！例如：一進堂中，眾人的目光首先會被堂中陳設的巨大玉石所吸引，而忽略北、東、西三個方向、上下兩層的「隔扇門」。仔細看這些扇門不但是昂貴的木材所製，而且中央的「仔邊」都是雙面繡的花卉或文字，然後它的周圍上下都用貴重的「掐絲景泰藍」所形成的各種壽字來裝飾。再例如：二樓的一圈欄杆，要細心才會發現，居然都是用玉來鑲嵌、這些小物件總數在數千左右，價值絕對破億！更別提它的「藻井」，每一塊都是精雕細琢的花卉！

這麼富麗堂皇的地方，在裡面生活最久的是慈禧老佛爺，堂中的「西暖閣」就是她晚年居住的地方。當時這位權勢薰天的老太太一天到晚在屋

中幹什麼啊？其實她如果沒什麼重要活動的話，大部分時間在房間內從事美容保養的工作……

每天大約晚上八點左右，老太太在臉上擦上蛋清之後就上床休息了，醒來之後……首先喝碗熬了七八個小時的銀耳或者燕窩，然後熱敷自己的雙手和臉部，接著梳頭、化妝，抽根煙休息一下後，再來碗牛奶或人奶潤潤喉……這些人奶的來源，是由十五至二十歲純正的旗人女性提供，這些奶媽必須貌美、生過三胎男性，經過檢查這些小孩都沒有疾病的人，才能入選為慈禧提供奶水。這些美麗的奶媽有四十個稱為「坐秀奶口」，另外有八十個是備用，稱為「點卯奶口」。

喝完之後，慈禧才開始接見皇帝、嬪妃、大臣等的請安，然後就到了看奏摺的時間了……無論慈禧怎樣的權勢薰天，她還是不能在奏章上用文字批示，所以只能用指甲在奏章上做各種記號，軍機大臣一見到或直或橫或彎曲的指痕，就明白老佛爺的意思，奉「旨」做事去了。結束公務之後，是慈禧的休閒時光，她會去散步運動一下，然後習作書畫、抽煙、喝茶等等，之後洗澡、泡指甲、洗腳，就準備就寢結束一天的時間。

慈禧是個愛乾淨的，所以洗澡洗得很勤，夏天時每天洗一次，冬天時因為氣候寒冷，則是二天或三天洗一次。每次慈禧洗澡的時間不定，下午大約三點左右，在第二次的正餐「午膳」後的二小時內左右……伺候洗澡的宮女有專門的四名，在工作前本身就已經洗過澡，換過一套全新的衣服。然後用香皂塗在一百條毛巾上面，幫太后擦身子（毛巾在一次擦完後隨即扔掉）。最後灑香水，春秋冬三季用玫瑰花露，夏天用冬花露。如此就洗完一次澡了，準備就寢。

## 玉禹山

過了「樂壽堂」之後是「頤和軒」，這裡現在是故宮的文物陳列室，裡面有許多大件玉雕作品，尤其是「玉禹山」最受人注目！

玉禹山

這件作品高224公分、寬96公分、重5300公斤。玉料本身是在新疆省崑崙山脈中的密勒塔山上發現的。由於它的位置過高，空氣過於稀薄，所以就當時的技術而言，只能在每年的七至九月時才能夠上山開挖。各位可以想像一下：在沒有機器的幫助下，要將近六噸的原始玉料，如何運下山？能一腳踹下山讓它自己滾下山嗎？除非不要命了、損壞皇帝的東西。所以工人只有乖乖地的用人力搬下山，一路上相信犧牲了不少人吧！

從新疆到北京數千里的路程，據說當時特製了一台大車，這輛大車有多大？聽說要用一百多匹馬同時拉曳，並且千餘各式工匠隨行，一路上餐風露宿、逢山開路、遇水架橋用了三年時間才由

新疆走到北京（皇帝才沒興趣知道開采、搬運得多辛苦，所以沒紀錄只有「據說」）。

運到北京後，乾隆皇帝覺得這麼一件空前的大玉料，如果雕成一般器具未免大材小用了，因此決定用「內務府」珍藏的一幅宋代畫作「大禹治水」圖為本，計畫把圖中的描繪刻在玉上。於是「內務府」的「造辦處」用「蠟」做了四個同比例的模型版本，供乾隆皇帝選擇其一，之後又用木頭再刻了一個模型，連同玉料運往揚州，欽命：「以此製來」。

西元1781年（乾隆四十六年）玉料運往揚州，師匠在六年之後雕製完成，再運返北京（當初為什麼不叫揚州工匠北上，不是省時省力嗎？……咦！皇帝沒想到你想到，這是表示你比天子聰明？又是個不要命的舉動！）。西元1788年（乾隆五十三年）完工運回北京。已經老邁的乾隆皇帝為此「龍心大悅」！自覺之後再也不可能有任何收藏品能與之比肩，可以做為一生收藏的結尾作品！再加上當時乾隆的玄孫已經誕生，人生難得的五代同堂，自己也年近八十……這兩點都是男性皇帝中所獨有！為了紀念這個特殊的時光，特別令人將「五福五代堂古稀天子寶」和「八征耄念之寶」兩塊玉璽的銘文刻在其背面與正面，這樣又用了二年時間，才大功告成。因此這件作品，是中國玉器中用料最大、運路最遠、耗時最久、花費最貴、雕刻最精、器形最巨、氣魄最大的玉雕製作。

「頤和軒」北向，和「乾隆花園」的「倦情齋」之間有個小院，院中有口井，是光緒的妃子──珍妃的葬身之地。想當年慈禧在八國聯軍的攻擊下，從「樂壽堂」西逃前，令人把珍妃投入這裡的。井旁的小屋曾經囚禁過珍妃，現存放她姊姊瑾妃所立的靈位，證明她心愛的妹妹是在這裡結束了生命。

Chapter

# 3

## | 故宮西路篇 |

# 歡迎光臨皇家出版社：
# 武英殿

　　從「太和門廣場」上，向西進入「熙和門」開始向北，是屬於故宮西路線。在穿越「熙和門」之前，在它的南方有一道廂房，那是「起居注」官員的辦公室。別小看這位官員，他可是皇帝的祕書之一，除了安排天子的補習課程外，最重要的工作是記錄皇帝的任何事情，包括接見的人員、批閱的公文、說過什麼話等等，鉅細靡遺的幫我們後世做紀錄。日積月累再精簡之後，就成了我們讀的史書了，所以在浩瀚如海的史料中，有他們像附骨之蛆一樣，時時刻刻在萬歲爺身旁，辛勞地做紀錄。而萬乘之尊也當他不存在，自顧自的做自己的事，可是天子的一言一行，都被他記錄下來，想賴也賴不掉。

　　例如：明萬曆皇帝年少時，有一次去請母后安，結果老太太不在家中，可是萬曆卻發現有個侍女長得很可人，就……你知道嘛……血氣旺盛的年輕人，就做了那種事。後來太后找皇帝來問，這位至尊當場否認！老太太就拿出「起居注」叫兒子無可否認。那個掌職官員的辦公室，就在這「熙和門」旁。

　　過了「熙和門」之後，南邊的一連串房間，是清代的

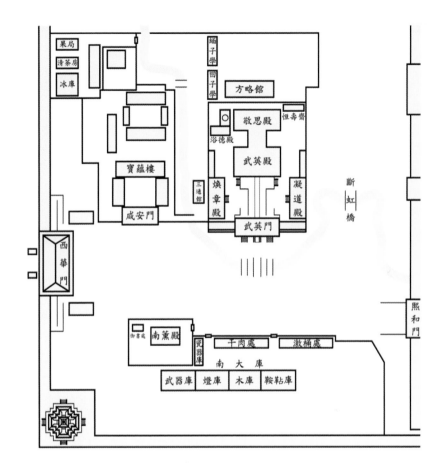

武英殿區圖示

消防單位「激桶處」，和「干肉處」。所謂的「激桶處」是古代消防單位的名稱，原本宮中多個地方均設有「激桶處」，每處配置100～200的人力和「激桶」、「水龍」等消防用具。「干肉處」是屬於「御茶膳房」的庫房，專門收儲各種醃製的魚肉類，虎骨、燕窩以及乳酒、米麵、薑蒜、蔬菜之地。

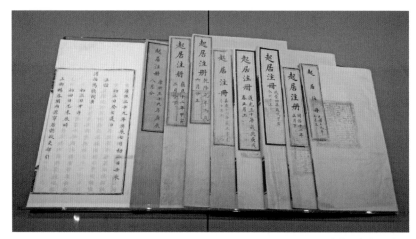

　　「干肉處」向西靠「西華門」的建築物，是著名的「南薰殿」，是城內為數不多的明代建築，曾經收藏約583幅歷代皇帝、皇后、名臣畫像於此。我們現在對某位帝王的印象，就是來自這座殿宇內，例如：大家熟知的唐太宗李世民的像，就是其中之一。說起這批畫作還有一番曲折……乾隆十三年時，人們偶然在「內務府」的「茶庫」裡發現了這批精美的文物，經過數十年無人聞問，已經出現腐朽的情況。後來乾隆重新裱褙過，存放在「南薰殿」和明朝歷代后妃的冊寶放在一起，現在大部分的畫作在台北故宮之中。靠故宮南牆的建築是「南大庫」，原本是多種庫房的集中地，現在為明清家具展覽館。

　　這塊區域的主體建築是「武英殿」！也就是在「東文西武」宇宙觀之下所產生的建築物。它與「東文」的「文華殿」在外觀上明顯不同，多了內金水河、以及三座石橋，是故宮眾多宮殿中、辨識度最高的建築物之一。這座殿宇從故宮落成開始，就在這裡了，和「文華殿」一樣是外朝中的「便殿」，也就是沒那麼正式的和臣子見面的地方，但「武英殿」因為

遠離「內閣」，更方便皇帝和親近大臣密謀一些事，例如：康熙籌劃剷除鰲拜，據說就是在這裡祕密進行的。明成祖——朱隸曾經在殿中的西廊中，張貼一張全國各地的百官圖表，作為思量用人的參考（後來這張表格，移到「文華殿」中了）。明清交替時期，由於這裡的結構尚稱完整，所以成為外朝地區的重要場所。闖王李自成攻入紫禁城後在這裡登基，清軍進入北京之後，多爾袞和順治皇帝，也在這裡先後接受明代遺臣朝拜。（這些識時務的大臣，前幾天還不理會崇禎的召喚，如今巴巴地趕來力勸兩人御極登基，真不要臉！）康熙皇帝十五歲時，因為「乾清宮」等地的整修，也曾經在這住了一年。

「武英殿」的功用除了是皇帝的便殿外，在明代是全國優秀畫工的集中地。到了康熙十九年開始，「武英殿」成為專門為皇室編輯書籍的地方。乾隆即位之後，更是這裡的鼎盛時期，當時由親王等級的人，來主持殿中的工作，大家都把歲月盡付予一頁頁的紙張，製成一本本精美的書籍。不過這些書都太正式了，一般人大概連翻都不

唐太宗立像

武英殿

想翻，不信的話，我們來看看有哪
些書⋯⋯有記載重大軍功或政事的
「方略」、各個先皇帝的「歷代聖
訓」、宗廟樂譜、十三經、二十一史
等等。不過有一本《欽定古今圖書
集成》倒滿有趣的，有興趣的朋友
可以到台北國家圖書館，一樓閱覽
室找得到，不過它有三十幾大本，
每本都很重！

武英聚珍

　　「武英殿」的西側，有一個獨立的房子叫「浴德堂」，當年是這裡的
領導辦公室，歷史上赫赫有名的大文學家——方苞先生，曾經在裡面辦
過公。「浴德堂」的北面有一個紫禁城中，惟一具有阿拉伯風格的建築
物，它沒有特殊名字，就叫「浴室」。這個洗土耳其浴的地方，可能大有
來頭，是元帝國接觸到中亞地區的文化後，在「大都城」（元代的北京稱
呼）所仿建的。明初建築紫禁城時，並沒有把它拆除，而且把它所有的供

水、加熱系統都完整的保留下來。

明清時代的皇帝，會洗土耳其浴嗎？這點在文獻上沒有紀錄，也許當時沒人教他們怎麼用吧。明朝這個地方的用途不明，有人說是皇帝齋戒用的地方。但到了清代時，確定成為製造紙張的地方，至於它的特殊享受功能，被人忽視五百多年。

「武英殿」的西側有塊區域叫「咸安宮」，目前不開放參觀，而且門內的古建築物也蕩然無存，只有一個現代仿古建築，叫「寶蘊樓」是故宮庫房。可是當年「咸安宮」存在的時候，也就是雍正七年時，為了培養國家人才，特別在這裡設立官學，史稱：「咸安宮官學」。這所皇家學校只召收滿人上三旗子弟，在這裡學習滿文、漢文及練習武藝，是一所專門為了培養未來國家幹部的學校。乾隆時期著名的和珅，就是出自這所學院。這裡另外也附設「蒙古官學」召收蒙古八旗的子弟入學。

「武英殿」和「咸安宮」之間，金水河東岸的房子，以前也是皇家出版社的一部分，裡面有四個部門。其中的「清字經館」是專門把蒙文《大藏經》，翻譯成滿文、「三通館」是研究古典書籍的，「實錄館」負責修訂歷朝實錄（《實錄》是一種非常細緻的編年體史書），「文穎館」主要收集歷代優秀詩文作品。

這裡成為出版社前，曾經囚禁過一位太子，就是電視劇《康熙帝國》中的太子——允礽，他第二次因故被廢後在這關了十年。雍正繼位後，把他遷徙到山西祁縣鄭家莊，並且派兵駐守。那位當了三十八年的太子，後來也死在那裡，沒入祖墳。

# 貪污大本營：
# 內務府造辦處

　　由「武英殿」東側的一條道路北行，途經一座「斷虹橋」，它是紫禁城內最美的一座石橋，依據它的風格而言，可能是元代的建築，如果是真的，那可比故宮的歷史更久。它用名貴的漢白玉石所建構，兩側的欄杆上充滿了各式雕刻，包括柱頭形態各異的獅子，站在盛開的蓮花上，欄板上有行龍的雕刻，各個欄板下的「地霞」上，都雕刻著某一種花卉，總數有牡丹等十幾種，以工藝的布局、技巧而言，堪稱城中各橋中的榜首！

斷虹橋怪異石獅

　　「斷虹橋」和著名的「盧溝橋」一樣，在每一個望柱上都有一個石獅子，但不如「盧溝橋」上的石獅形態如此多變。在這一片平凡之中，東側的第四隻獅子的形式，卻顯得非常突兀！它一隻爪子扶頭、另一隻遮住襠部……如此怪異的造型有個傳說：這隻小獅子吸收了日月精華，轉世成清道光皇帝的兒子（一說是明英宗的兒子）奕緯，有次和父皇發生衝突，引起龍顏大怒一腳踢去，不小心踢到兒子的下體，後來這位不幸的皇子就因此死亡（皇長子奕緯突然死亡的原因，在

正史中無記載，僅有野史《老太監的回憶》中所述：被踢中下體而亡）。道光皇帝有次路過此橋時，看到這隻小獅子的形態，酷似兒子的死狀，而傷心不已，從此這隻小獅子一直被紅布罩著，直到民國之後，才顯現出它的樣子。

過橋之後，眾多槐樹成蔭，這也是故宮的特殊景色之一，稱為「十八槐」（現存十七棵）。在西側的圍牆內（「武英殿」的後方）有三個建築，一個叫「方略館」，是清代把戰爭過程，以紀事本末體的方式，整理成《方略》一書的地方。另一個是「回子學」，是學習新疆維吾爾文字語言的學校。最後一個教導東南亞地區文字語言的學校「緬子學」。後兩者都是這個章節的主角「內務府」所設立的，並且共稱為「回緬官學」。

「內務府」是將滿清入關前的奴隸制度，和明代專門為皇族服務的「十三衙門」相結合而成的機關。它的相關配合單位早已超越宮牆，到達其他各省地方。所管轄的內容包羅萬象，例如：皇宮內外、各地皇家園林、祭祀場所、陵寢等等，所觸及的層面包括生老病死，所有的生活所需，以及宮女太監的任免、皇家的馬、犬等等動植物，甚至火炮槍彈、弓箭刀槍等兵備，都有相關的單位負責。更進一步說，它有七司、三院五十多個部門，還有其他種種部門，真是族繁不及備載，是清代國家機構中職官人數最多、組織最為龐大的單位。僅在故宮之中就有許多地方都是它的下屬單位。

現在所謂的「內務府」地方，只是它的總部而已，但是現在這個遺址上，已經沒有任何建築物存在了。關於這件事，有個有趣的說法，說這地方的表土到了冬天都不會結冰，因為地下藏有無數的金銀珠寶！之所以有這樣的說法，是因為「內務府」到了滿清中期以後，貪污的程度已經到了

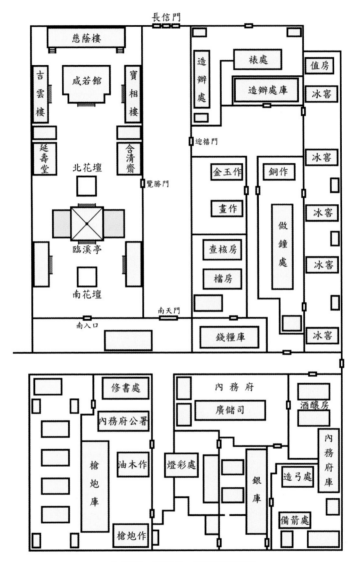

內務府、造辦處、慈寧花園圖示

遮天蔽日的地步了。

舉個例子：光緒年間的軍機
大臣閻敬銘，實在看不下去「內務
府」的貪婪，借著「內務府」申購皮
箱的奏折向慈禧告狀，並且指出：民間
報價一個皮箱最多6兩，而「內務府」竟然提

金雙鳳紋盆

出60兩的需求，中飽私囊的罪責明確！但是慈禧並不相信他的話，於是叫
他買6兩的皮箱，買100個來看看。於是閻敬銘真的到民間市場上去買，沒
想到「內務府」得到消息，事先命令北京城內所有的皮貨行歇業！於是閻
敬銘又叫家丁去天津送信，請天津的朋友購買，結果「內務府」又搶先一
步，用1000兩白銀的代價，買通了家丁落跑。閻敬銘直到期限將至才得知
消息，無奈之下，只得向老佛爺認罪，由此可見「內務府」的氣焰有多麼
熏天。

其實閻敬銘那時的「內務府」已經客氣很多了，在此之前「內務府」
以千倍、萬倍的報價，在史上斑斑可考……從乾隆時吃1個雞蛋要10兩
（8000台幣）、咸豐修一扇門報價要5000兩（430萬台幣）等等。閻敬銘的
故事僅僅只是「內務府」取十倍之利而已，還有取千萬倍的例子呢！

那是在道光年間，有次皇帝發現自己的褲子上，破了一個小洞，於
是叫「內務府」拿去補，結果補回來要3000兩白銀！（等於26萬台幣）道
光驚問：「為什麼那麼貴！」「內務府」回答說：「皇上您這是有花的湖
綢，我們用了幾百匹的綢料，才找到嚴絲合縫的材料給補了上去，要是普
通打給補丁的話，只要5兩銀子就夠了。」道光聽了也無可奈何。過了幾
天，皇帝看到大臣曹文正的衣上也打了個補丁，就詢問他這個補丁多少

錢？曹文正知道「內務府」的黑幕，本著官官相護的精神，於是就獅子大開口的說：「3錢銀子……」其實這個價格已經夠買一套衣服了，沒想到道光聽了嘆息說：「民間就是便宜，我打個補丁要5兩銀子……」嚇個曹文正出了一身冷汗！

還有一次道光想吃「湯粉」（一種用紅薯作的點心），「內務府」籌劃了幾天居然開價6萬兩白銀！道光說：「我以前曾經在民間吃過才兩銅錢，為什麼你們這要這麼貴？」這下好了！皇帝知道價格，「內務府」這可不是露出貪婪的面目了嗎？只見官員不慌不忙地說：「啓奏聖上！宮內沒有適合製作「湯粉」的場地和器具，所以需要另外闢建土地和房舍，而且製作相關的用器和金器，6萬兩白銀已經是省了又省，感念皇上縮衣節食的功德了。」真是胡扯到了極點！

難道「內務府」的囂張就沒有人站出來改革嗎？其實在巨大的利益之下，府中上下串通一氣，在天下第一府衙之前，誰敢擋人財路？只有繼續糊弄不諳民間生活的皇帝，直到把國家整個財政拖垮，一起進到歷史的灰燼之中，如同我們眼前的景像一般。

由「內務府」遺跡的東側道路北行時，西邊一連串的房間是「內務府」的「冰窖」，現在改成餐廳了。今天紫禁城尚存古代冰窖四座，每座冰窖皆長11.03公尺、寬6.36公尺，含地下高約4.07公尺。窖內先用巨大的石材砌成1.5公尺高之後，再壘長條狀的磚塊做成圓拱頂，這些牆壁厚達2公尺，可以達極佳的保冷效果。

銀累絲瓜棱式瓶

冰窖

　　明清時代每到冬至，都會在紫禁城的護城河、中南海和北海等地進行清潔工作稱為「涮河」，然後放水儲存等待結冰。到了開鑿冰塊時要事先祭祀，之後以每塊8公斤左右的重量，開採儲藏在紫禁城的冰窖之中備用。紫禁城內有5座冰窖，總共可以儲存2萬5千塊冰磚，從農曆5月1日開始供應，至7月31日止，視等級分配數量。

　　和「冰窖」一牆之隔的西邊，是赫赫有名的「造辦處」！也是「內務府」的下屬單位，現在大家在兩岸故宮中，所看到的各種珍寶和現在所經過的宮殿，都是出自於他們之手，是清代專門製作皇家用品的機構。原本有「養心殿造辦處」和「內務府造辦處」兩個，康熙四十七年合併在這裡一起，屬「內務府」管理。「造辦處」鼎盛時期擁有四十二個作坊（工作

室），這裡集中了國家當時最優秀的藝術和技術人員，包括擁有西洋技法的外國人，他們創造出無數的國寶級的工藝品！這些能工巧匠所製作的項目，囊括了朝廷日常生活中的各個方面，從宮殿建造、生活用品、休閒擺設到軍事武器應有盡有。

目前「造辦處」的原址上，一些建築物依然存在，其中「檔房」和「查核房」對後世的貢獻很大！「檔房」是登記各個工藝品的材料、規格、製作的時間等等的檔案室。而「查核房」是對作品做事前的用料、樣式、預算、製作時間的規劃，之後呈報、領取費用，交付下包的單位等事先規劃。這兩個單位所記錄下來的資料，對後世了解當時的工藝，提供了寶貴的文獻。

最後另有一個「畫作」的單位也值得介紹一下。這是宮廷繪畫的單位，設立於康熙三十二年，原本附於「裱作」之下，雍正五年獨立成一個工作室。乾隆初年提高規格成「繪畫處」，二十年時集中技藝更高超的宮廷畫家，如郎世寧等，另設「如意館」在他處。其繪製出來的珍品，不用說都是世界各國博物館，爭相收藏的絕世文物，為我中華文物在藝術史上，填上濃重的一筆！

# 老太太逛花園：
# 慈寧花園

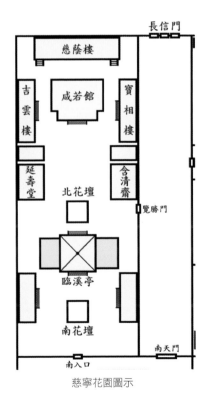

慈寧花園圖示

從「斷虹橋」一路向北，經過「內務府」、「造辦處」之後，西側有座「永康左門」，這裡是通往「慈寧宮」的必經之路，清代的皇帝要去向太后請安時，都會在這裡下轎，然後步行前往「慈寧宮」以示尊敬。進入「永康左門」後，向西行經過一小段路，走進南向的「長信門」就來到一個大廣場，它的東側是剛才介紹的「造辦處」，西側圍牆內的建築群是太后的專屬地──「慈寧花園」。

這個花園是故宮所興建的第二個花園，始建於明代嘉靖十五年（西元1536年），到現在已經接近五百年了。在明代時它的確是個純休閒的花園，但到了清朝康熙時，在孝莊太皇太后的影響下，已經逐步成為兼具宗教性質的園子了。到

咸若館抱廈內

了乾隆三十年時，它的北半部完全成了藏傳佛教的地方，而原本明代十一座休憩的亭子，也只剩下南邊一座「臨溪亭」了。

　　現在所在的大廣場應該是太后誕辰時，舉辦慶典活動的地方，我們要從它的西側「覽勝門」進入花園之中……一進入口的北邊是「含清齋」、這個建築物的屋頂是故宮少見的黑瓦，所以在宮中的等級最低，是皇帝守孝的地方。乾隆在自己的《建福宮題句》中提到過這裡：「……為日夜侍奉湯藥之地」，因為這裡距離太后寢宮非常近。既然當初「含清齋」興建的目的，是乾隆準備倚廬的地方，那乾隆真的在這裡守過孝嗎？答案是沒有，因為他母親辭世時，乾隆已經六十七歲又值寒冬，如果真的在這裡倚廬，恐怕對身體不利，所以在大臣的極力勸阻下，只好在「養心殿」守制。

經過「含清齋」後，站在花園的中軸線上，可以看得出這裡是個中軸左右對稱的布局，有大小九個建築。它的南半部、還保留花園的韻味，並且以「臨溪亭」為主要建築。亭的南北各有一個大型的花壇，可以栽植各種花卉，平添一些美感。亭的東西兩側各有一個水池，水源從「內金水河」經由暗渠灌到這裡的，所以是屬於活水。明代時這裡應該種有蓮花，因為萬曆的母親李太后，據說是池中的九蓮菩薩托生的（她自己說的），為此還在今天的海淀區，建了一座「慈壽寺」，寺中的高塔就是紀念此事。

　　「臨溪亭」的南邊有一小片假山之後，就到了花園的南界了，所以這半部的景觀比較簡單，但它的北方結構就複雜多了，而且帶有濃厚的宗教氣息。與「臨溪亭」面對面的建築是「咸若館」，這個名字出自《尚書》，有萬事順其自然的意思。這個建築物是乾隆時期，特別為母親所作的生日禮物。

　　一進入「咸若館」的「抱夏」就能看到乾隆御筆親書所寫的「壽國香台」金匾，以及兩側所寫的對聯。館內中央的佛龕中，原本懸掛有9張唐卡和9尊佛像（現僅以布幔顯示），都是「白救度佛母」的不同形態。乾隆之所以重視「白救度佛母」的用意很明顯，就是為母親增壽的意義。事實上他母親的確也是有史以來最長壽的皇太后！

　　從中央的佛龕向兩側延伸出去，一直到館的東西牆上，有12組（套）一格格的掛龕，雖然現在是空的，但是想當年可是放滿了「擦擦佛」，每一組有360尊，所以12組共有4320尊「擦擦佛」。所謂的「擦擦佛」是泥塑的佛像，泥裡面摻有麥粒、珍寶粉末、香料或高僧的骨灰舍利等，然後在金屬模具中壓製而成。當然宮中的「擦擦佛」沒那麼簡單，還要經過烘

烤、上色、塗金粉等手續才能供奉在這裡。掛龕下台階狀的結構，原本是放《龍藏經》的地方。這是一部值得好好介紹的一套珍品！

在康熙初年時，皇帝秉孝莊太皇太后之願，以5000兩純金和14000顆各種寶石；所製成108函的一部佛經，其實就是《大藏經》！因為是清朝皇帝下令所製的第一部經書，所以稱為《龍藏經》。內容有佛祖釋迦牟尼佛，教化總集的《甘珠爾》[18]和對經文注疏的《丹珠爾》兩部分，是清朝第一部，也是最珍貴、最精美的藏文《大藏經》。

這套經典以非凡的方式製作，也就是首先將黃金打造成比一般金箔更薄的「飛金」，然後加以膠水研磨成金墨，再用這個黃金墨水，以藏文的方式，書寫在羊腦和中藥材等特製的「磁青箋」紙上。

它的保留方式更是莊嚴肅穆！每500～600頁「磁青箋」所形成的一函經文，都有上下兩塊「內護經板」保護，每塊護板都有精心的彩繪神佛，和大量的寶石裝飾，所以108函的經文，總共使用了216塊「內護經板」，上面共彩繪756尊各式神佛！

然後用三層珍貴布料製作的「經衣」層層包裹，並用五彩繩帶做第一次的綑紮。之後再加朱漆描金的上下「外護經板」保護（一樣有216塊）。這些「外護經板」表面依舊用「泥金」書寫「六字真言」等等咒文。然後以25公尺的五彩帶，用特殊技法編織綑紮，在外護板上做第二次的固定綑紮。最後用明黃棉被包裹，繫上辨識標示，這就完成一函的包裝。整個完整的一函重量達到50公斤，所以整套《龍藏經》總共有5噸多重！也許是

---

18 「甘」是指高僧大德，「珠爾」是合集的意思。

世界最重的經典之一。目前整套的《龍藏經》在台北故宮之中,相傳有緣
得見之人,有七世好運……在「咸若館」現場僅留空架而已。

　　可以想像如果「咸若館」恢復當年的景象,該是多麼磅礴的場景啊!
館中還有一對楠木製的佛塔,每個佛塔上都有500個瓷製的「無量壽佛」
像,所以共有1000個。如果覺得「咸若館」的布置夠震撼的話,那「咸若
館」的東配樓——「寶相樓」的結構就更令人驚奇了!這是一座坐東朝
西、樓高二層的建築,是乾隆三十年為了迎接母親八十大壽所建的,為宮
中四座「六品佛樓」之一,正式名稱叫「妙吉祥大寶樓」。

　　所謂的「六品佛樓」是乾隆依據對藏傳佛教「格魯派」的理解,將
修行階段細分為「般若品」(顯宗)、「功行品」、「德行品」、「瑜伽
品」、「無上瑜伽品——父續」、「無上瑜伽品——母續」六品而布置[19]。

────────────

19 「六品佛樓」的內部局,不是按順序布置的,由北至南分別是「般若品」、「無上瑜伽品-
　　父」、「無上瑜伽品-母」,明間、「瑜伽品」、「德行品」和「功行品」。

樓房中央入口叫「明間」，供奉著釋迦牟尼，二樓供奉藏傳佛教、黃教的創始人——宗喀巴。由「明間」向左右沿伸各有三間房，所以共有六間，就代表上述的六品。

六間的上下布局完全一樣，只是每一間供奉的神明不一樣。以最北邊「般若品」的房間為例，一樓中央有一座掐絲琺瑯佛塔直達天花板，它的南、北、東三面牆壁上各懸掛3張藏傳佛教的護法神唐卡，每張各繪有3個護法神，所以共有9張唐卡27個護法在這裡。相對應的樓上中央地板有天井，可以看到下面的寶塔。「般若品」的二樓房間正面（東面）懸掛1幅以「釋迦牟尼佛」為主的九神唐卡，唐卡下的供桌上也安放著9尊神像，和圖中神像相對應。兩側掛龕中共有122尊形態各異的神像，每個神像下都刻有名字。乾隆的這個舉動，無疑對後世研究藏傳佛教，提供了莫大的幫助！要不然西藏那麼多神，誰能知道祂們的歸屬啊！

二樓6個房間內的神像總共有786尊，祂們還有一個感人的故事……1926年一位來自波羅的海的外國人鋼和泰，來到「寶相樓」中參觀時，不禁讚嘆說：「世界各國博物館所藏佛像，惟此最美！」[20]但是他也感傷「寶相樓」的年久失修，於是他為786尊神像，都一一拍了照片，遠渡重洋到美國募款整修，後來他募到了6000美金，對「寶相樓」進行了一次搶救性的維修。至於那700多張照片，被哈佛大學梵文教授克拉克（Walter Eugene Clark）整理成一本《兩種喇嘛教神系》（Two Lamaistic Pantheons），這本書在西方世界造成轟動，也使得「寶相樓」聲名大噪。如今的「寶相樓」一樓還是原貌，但是二樓的眾多佛像因為戰亂，遷到南京博物館，而原處

---

20 乾隆對這批佛像要求極高，他對第一批製作的神像不滿意，命令重新製作，而且不予核消，以示懲戒。

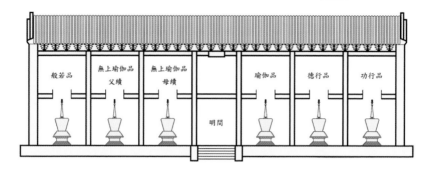

寶相樓內部結構圖示

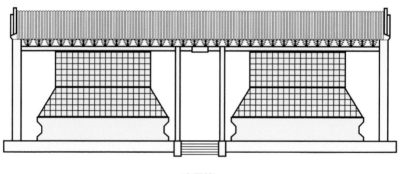

吉雲樓

的法器則在台北故宮，一處文物分隔兩岸三地……

　　「吉雲樓」在「寶相樓」的對面，是「咸若館」的西配殿。雖然兩者在外表相同，但內部卻是截然不同。「寶相樓」內有一二樓隔間，但「吉雲樓」內卻是完全暢通的，沒有二樓的存在。進入「吉雲樓」之中，只見兩個巨大的須彌座橫臥其中，上面有金字塔式的供台，這個供台連同西、南、北三面牆壁上，共有10043尊「擦擦佛」安放其中，都是「大隨求佛母」，也是故宮唯一的萬佛殿。「大隨求佛母」是一尊專門保護生育過女

人的神明，所以這座佛堂如此設計的用意，也就是乾隆祈求神明保佑她母親平安的作用，除此之外……裡面還有9張「尊勝佛母」的唐卡，和壽山石所雕刻的羅漢等等。

「慈蔭樓」在「咸若館」的北面，這裡也是花園的最北端。這座樓閣是乾隆三十五年為母親所修的「藏經樓」。皇帝為了母親的生日，還特別修了一部《甘珠爾》經放在這裡。這部經書非常特別，是用滿、漢、蒙、藏四種文字寫的。這套經書目前故宮收藏有96函，台北有12函。經過上述的介紹，可以發現這座花園在乾隆之後，已經成了故宮重要的宗教聖地了。

# 走音天王的舞台：
# 慈寧宮

慈寧宮門

　　「慈寧宮」位於「慈寧花園」的北方。這裡在明代時
有一座「仁壽宮」，是給先皇的眾位夫人住的。西元1536
年（嘉靖十五年），明世宗嘉靖皇帝，為了他的生母蔣太
后，特別將「仁壽宮」改建成今天的「慈寧宮」，連同剛
才的「慈寧花園」一起，同時在嘉靖十七年時完工，之後
這裡就專門作為太后的寢宮。

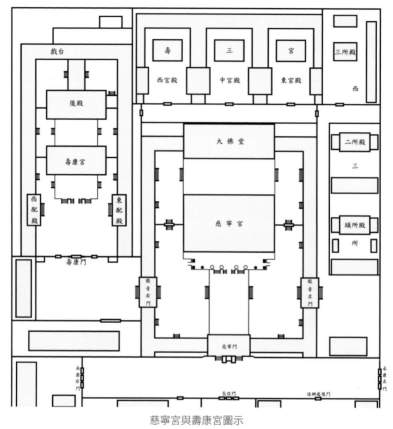

慈寧宮與壽康宮圖示

　　這座「慈寧宮」自建成以來，經過幾次的改動形制，到今天其實是一個建築群的名字，在所謂的「慈寧宮區」內，還可以細分「慈寧宮」東側的「西三所」（頭所殿、二所殿、三所殿），北面的「壽三宮」（西宮殿、中宮殿、東宮殿）等地，前者是太后居所，後兩者是太妃、太嬪們的地方，另外還有一個獨立的「壽康宮」，在「慈寧宮」的西側。

　　「慈寧門」前，可以看到的故宮唯一的一對鎏金麒麟，這是一種傳說

中的神獸，而且是一隻仁獸、從不攻擊人畜，也不落足在地上有昆蟲花草的地方，唯恐無心傷害到生命，借此來比喻太后的慈愛之心。它和「御花園」中的「獬豸」長得很像，區別在於麒麟是雙角牛蹄，獬豸是獨角虎爪。抬頭上望可以看到「慈寧門」的牌匾，是用滿、漢、蒙三種文字書寫的，這種三體文的牌匾，全故宮僅有四塊，除了這裡外還有「慈寧宮」、「徽音左門」和「徽音右門」，都在「慈寧宮」區內。

孝莊文皇后

為什麼僅有這裡有蒙古文字呢？這和清初一位偉大的女性有關，她就是歷史上有名的「孝莊文皇后」。這位太皇太后原本是蒙古族人，姓：博爾濟吉特，名：布木布泰，民間俗稱大玉兒。十三歲嫁與皇太極為側福晉（之後形成姑姪三人共事一夫的局面）。西元1643年皇太極突然逝世，由於生前未指定繼位人選，而引發多方勢力激烈的爭奪皇位，當時劍拔弩張的緊張氣氛令人幾乎窒息！一但真的發生武裝流血衝突的話，無疑會大大損傷滿清剛剛崛起的聲勢，可以說這個時間是清政權極為重要的轉戾點。

當時的孝莊只是皇太極的側室，手上無兵無權、兒子年齡幼小又無戰功，可以說沒有一點點參與奪嫡的資本，但是孝莊卻運用柔滑的手腕，平衡三方勢力，使得願意放下各自的野心，共同推舉自己的兒子福臨登基，也就是順治皇帝，想想看……這需要多大的智慧手腕啊！

滿清入關之後，孝莊先後扶持過順治、康熙皇帝，對當時中原地區因為多年的戰亂，而引發的天災人禍，進行大規模的安撫復原工作。另一方面，清代統治初年，政府面臨各地武裝叛亂，也由於「孝莊文皇后」的存在，她的諸多措施發揮了中流砥柱的作用，為清代百年基業，打下堅固的基礎。更重要的是，她雖然功大於天、卻沒有野心，始終在幕後支持著兒子、孫子創造出盛世的開始。（不像後世的某人，沒啥定國安邦的事蹟，卻常認為自己德被蒼生）因此她在滿人的心目中，擁有崇高的地位，所以牌匾上的蒙文一直保留著，以紀念「孝莊文皇后」。

「慈寧宮」不但是太后的寢宮，也是舉辦重要典禮的地方，例如：給太后上徽號、公主下嫁宴請對方母親和族中夫人們等等，尤其給太后辦生日時更是熱鬧。提到太后生日，皇帝為母親舉行鋪張豪華的典禮，獻上什麼奇珍異寶，老人家早就連眼皮子都懶得動一下了，要如何表達孝心？是作為兒子最傷腦的一件事。其實真正令人動容的一刻，不是用錢而是用心！雖然這是大家已經知道的事，但要如何實踐呢？

在說這個故事之前，先來個前情提要。清朝的第六位皇帝-道光，是個超級節儉的人，衣服穿到破了打個補丁繼續穿。大家想，天子都穿補丁衣了，誰還敢穿嶄新的衣服啊？所以道光的朝廷，就像天下第一大幫——丐幫一樣！有一次皇后過生日，發現自己的壽麵中有片肉，都感動地嘆息不已……由此可知這位皇帝的慣性了吧？

道光十五年，恰逢皇太后六十大壽，摳門的皇帝決定大改習慣，要好好奢華鋪張一番。於是宮中張燈結綵，嬪妃宮女們也卸下寒酸的衣飾，一個個盛裝打扮，宮中一片歡樂喜氣。這個改變本來就令老娘感動了，沒想到用錢都買不到的心意，就在當天登場了！台上的戲鑼已經響起了……但

是太后身邊的龍椅還空著，皇帝去那了呢？戲台上的前奏結束之後，主角從「上場門」一出來亮相⋯⋯大家一看全傻了！那不是皇帝嗎？堂堂的天子居然親自演出！

今天道光所表演的戲碼是「二十四孝」中的「萊子娛親」。大家知道這個情節嗎？簡單的說：就是一個老頭穿著娃娃裝，在裝可愛搏取父母歡笑的故事。五十四歲的道光帝穿上娃娃裝，不用演就符合劇中角色了，再加上畢竟不是科班，所以舉手投足十分笨拙⋯⋯也恰如故事情節，可是遺憾的是，唱腔有夠難聽、外加五音不全，是個標準的「走音天王」！諸王大臣看到這個場景是目瞪口呆、可是後宮的嬪妃們卻笑得倒成一片，太后也笑得前仰後合。唱畢，道光帝還學著伶人模樣，跪地向太后討賞，宮女奉太后之命⋯⋯哄笑著將花果投上台去。結果各位諸王貝勒見狀也紛紛登台獻藝，大家一起來比醜比難聽，把喜慶氣氛烘托到高潮。

進入「慈寧門」之後，正前方是「慈寧宮」，它的東邊是「徽音左門」，通往「西三所」，西邊是「徽音右門」，通往「壽康宮」。值得一提的是，當年「孝莊文皇后」非常喜歡「西三所」這裡的原本建築，孝莊逝世後，康熙下令把這裡的建築移到一百七十多公里的「昭西陵」，去和祖母長伴左右，之後又建了現在的「西三所」，用來供給先帝的嬪妃居住，民間稱這裡叫「寡婦院」。

「慈寧宮」後部建築是一座大佛堂，可能是故宮中最大的漢傳佛教祭祀場所。原本內部有元代的三世佛和十八羅漢塑像，但是1973年時，柬埔寨西哈努克親王，慕名想去訪問洛陽白馬寺，可是該寺因為「文化大革命」的影響，使得裡面的文物都消失在歷史中，親王過去時根本看不到什麼，所以把佛堂中的二千多件文物移去充數，結果親王不知道為什麼沒

來，而文物也沒回歸「慈寧宮」，這筆糊塗帳至今還沒搞清楚……好在故宮的佛像眾多，於是部分集中到了這裡，現今成為「佛教造像館」。

## 壽康宮

從「徽音右門」出去，又置身在一個廣場，是前往「壽康宮」的必經之途。「壽康宮」的原址本是太監機構的「北司房」，雍正十三年時，開始改建成「壽康宮」，準備給他的母后居住，沒想到雍正的生母烏雅氏，當上太后才幾個月就逝世了。所以乾隆的生母「孝聖憲皇太后——紐祜祿氏」成為第一個入住這裡的人，之後歷代太后和太妃，都幾乎住在「壽康宮」裡，其中最有名的，當然還是乾隆的「孝聖憲皇太后」。

崇慶皇太后朝服像

「孝聖憲皇太后」又名「崇聖太后」，姓紐祜祿氏，名已經失傳。她出身於一個普通的旗人家庭，康熙四十三年以秀女的姿態，被康熙指給雍正做姿室，那一年她才十三歲。康熙五十年生下乾隆皇帝。雍正即位後封為熹妃，之後經過熹貴妃的身分成為太后。

這位太后的影像，曾經出現在眾多的影視作品中，尤其是《後宮甄嬛傳》中的印象令人深刻。其實她的生平沒那麼波瀾壯闊，相反的卻是平順的讓人羨慕！由於她生活在國家強盛的年代，自己的兒子又是超級的優秀，子孫也很茂盛，基本上沒有任何煩心的事，可以說是最幸福的老太太了！要說有什麼不愉快，恐怕就是因為早年的一個筆誤事件，讓她的兒子扯到「身世之迷」的誤會之中……這個筆誤事件的影響，直到今天的戲劇

之中，還能看到關於乾隆出生問題的戲劇作品。

　　誤會起自於雍正時期，那時鈕祜祿氏升熹妃，在事先製作「金冊」的過程中……貝子允祹在寫底稿時，不小心將「鈕氏」誤寫成「錢氏」，而承辦人員也沒查證，就直接銘刻在「金冊」上，直到孝聖太后領受「金冊」時才發現，當時現場一定非常糗。之後這段插曲不斷被後世曲解，甚至出現乾隆是漢人後代的謬說[21]（《延禧攻略》一劇中也有此說法），所以至今乾隆出生的「雍和宮」中，還擺放著一個乾隆初浴的澡盆，間接證明弘曆的確誕生在這裡，不是漢女「錢氏」所生。

　　除此筆誤事件之外，老太太還是幸福的，好動的乾隆曾經帶領母親四次南巡、四次東幸、三次到五台山、二次到東北盛京、二十九次到承德避暑山莊、十次到東西陵祭祖，是清代出巡次數最多、時間最長、範圍最廣的皇太后！乾隆四十二年，太后去世……享年八十四歲，是中國有史以來最長壽的皇太后！太后謝世後，乾隆下旨令「和坤」等人監造一座「金髮塔」，用來收藏母親的頭髮。這座藏式佛塔是由三千兩黃金組成，高147公分、重108公斤，通身鑲嵌各種寶石，是故宮現存最大的金塔。

金嵌珍珠寶石覆缽式塔
（孝聖憲皇太后金髮塔）

---

21 根據《雍正朝漢文諭旨彙編》中記載：「遵太后聖母諭旨，側福晉年氏封為貴妃，側福晉李氏封為齊妃，格格錢氏封為熹妃……」

壽康宮後殿

　　進入「壽康門」之後，東邊的「東配殿」，是太后專屬的佛堂，上述的金塔原本就安放在這裡，目前移至故宮其他地方展出。現在這座宮殿之中，就是以「孝聖憲皇太后」為主題的展場，為她的一生做了詳細的介紹，以及不同年齡的畫像。

　　進入正殿一塊「慈壽凝禧」的匾額，是乾隆親筆御書高懸中央，匾下一座「紫檀攢竹緙絲嵌玉屏風寶座」，是乾隆三十六年，太后八十大壽時，命人在蘇州特別定製的生日禮物。穿越「壽康宮」之後，經過一個巨大的月台，就是「寢殿」可以看到太后的生活情況。它是一個「工」字形的結構，有穿堂與後部建築相連，原本後部有個小戲台今已無存。我們從穿堂中的側門走出來後，基本上這裡的參觀就介紹完了，但是兩側的廊房中，還是有許多關於「孝聖憲皇太后」的展品可以參觀。

# 皇以食為天：
## 御膳房

灶王神位

走出「壽康門」向東再次經過「永康左門」之後，在穿越「乾清門廣場」的「隆宗門」之前，可以駐足尋找一下、有個箭頭插在它的牌匾上，這一插就插了二百年，那是在嘉慶十八年（西元1813年），天理教買通了太監，偷偷打開「東華門」攻入紫禁城的遺跡。嘉慶皇帝當然為此極為震怒！下令保留這個箭頭，以戒後世子孫……

過了「隆宗門」後，在「軍機處」的北方，僅一牆之隔的建築物，就是皇帝的廚房——「御膳房」。皇帝吃飯……在我們的想像中，必定是充滿了什麼熊掌象鼻的珍饈美饌，是這樣嗎？其實如果不是「御膳房」門楣上的招牌，還真看不出來這裡是什麼重要的地方，因為這裡和一般房間的區別不大，而且這個建築物少了一個廚

北京烤鴨

房的特徵——煙囪！那是因為這裡和皇帝的居所「養心殿」靠得非常近，讓他老人家一天到晚，呼吸著油煙味，那不是「大不敬」嗎？所以做菜時所需要的炭火，都是無煙的「紅羅炭」，而且經過除煙處理，不會讓皇上聞到煙味啦……

這個「御膳房」又稱為「內膳房」，跟曾經介紹過的「御茶膳房」不同，這裡是專門做飯給萬歲爺的。「內務府」會在前一天，把第二天的菜單呈給皇帝御覽（這份菜單稱為「膳底檔」由「御茶膳房」負責保存），然後由「掌關防管理內管領事務處」這個單位，把所需要的材料準備好，送進「御膳房」來由「御廚」製作。您可能會問：這些御廚是不是放到現代都是三星級的，十八般武藝、煎煮炒炸樣樣精通？其實他們比起現代的庖丁要差多了，他們每個人只會二、三道菜色而已，當然也有像乾隆時期的御廚——張東官，一直層出不窮的創造驚喜，讓萬歲爺欲罷不能的人，可是這種人可謂鳳毛麟

角的傳奇了。

清代皇帝吃飯有所謂的「兩膳三點」的區別……依據時間可以分別為「早點」、「早膳」、「午點」、「晚膳」和「晚點」五次用餐。每天凌晨一兩點，御廚們就要準備皇帝四點左右起床時的「早點」了，通常是粥類的。然後大概是五點到十一點間，會有一次屬於正餐的「早膳」。第三次用餐叫「午點」又稱「餑餑桌」，是晚餐前的點心，不一定會用。下午三點左右，是「晚膳」時間。啊，下午三點就吃晚餐，前三餐消化得了嗎？之後就不再吃了嗎？所以我說「午點」不一定會用嘛。而且別擔心，還準備了一個「晚點」做宵夜呢！要是還不夠，隨叫隨有、不可能讓皇帝餓肚子的。

光看這些還不知道皇帝一天吃了多少，以光緒二十一年一月一日那天為例，看看他吃了什麼？

早點：火燒（類似三明治）、粥兩碗、窩頭十個。
早膳：包括兩個火鍋在內的三十二項菜色、湯類三個、點心類六項、八種粥類。
午點：各種水果二十三顆。
晚膳：蘋果燉羊肉火鍋在內的四十五項菜色、湯類三個、點心類四項、七種米粥類。
晚點：羊肉片汆冬瓜等八項、三種粥類。

看到這裡有沒有嚇一跳？皇帝一天有近百種食物，其實光緒已經在慈禧的要求下，已經很節省了（她一餐就要一百二十道菜）。可是這麼多的食物，就算每道菜只吃一口（最多不超過三口，避免讓人知道皇帝的喜

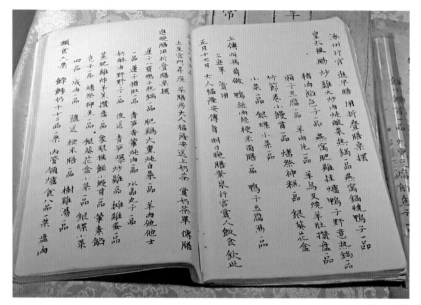

皇帝膳食紀錄

甲子萬年銀元寶式火鍋

松棚果罩

愛下毒），也吃不完啊⋯⋯沒關係，可以賞賜給下人，再吃不完可以賣到外面的餐館，當年「地安門」附近有餐館專門收購帝后的剩菜，因為這些剩菜的材料不但非常名貴，而且能吃到天子的食物也是一種福氣呢！

宮廷的菜系主要有三種，一是明代就在「御膳房」中的「魯菜」（山東菜），二是清代入關後，所帶來的「滿族風味」，三是乾隆時引進的蘇州和回族的吃法。其實為了滿足皇帝餐桌上的變化，有時候也有「星探」在民間尋找優秀的廚師進宮來做飯，所以「御廚」有子承父業、千鎚百練的珍饈，也有在民間做出了名聲，被網羅進宮的美饌，總之在這「御膳房」之中都是一時豪傑！

# 皇帝不知睡哪：
## 養心殿

「御膳房」的北方即是著名的「養心殿」，這裡自清代雍正皇帝以後，一直是皇帝的辦公室、寢宮和祭祀場所。歷史上很多重要的決策，包括結束清朝的統治，都是在這裡定下的，所以是故宮中最最重要的地方！

「養心殿」在正式成為寢宮之前，歷經了多個變化。在明中期以前的用途不明，可能只是做為庫房使用。到了嘉靖皇帝時，這位老兄做起了長生不死的大夢，在現址的南邊建了一個地方練起仙丹，於是把「養心殿」改建成一個臨時休息的地方，從此開始「養心殿」做為皇帝寢宮的歷史。萬曆皇帝時曾經「躲」在這裡三十年，而且在這段時間內把「養心殿」變成一個大銀庫，把全國暴力收刮的兩百萬兩白銀，藏在這裡的地下，沒想到後來被太監偷到一毛不剩！到了清代時，第一個統治者——順治皇帝，他晚期所生活的地方，就是住在這裡，最後也病逝在這裡。到了康熙

雍正皇帝

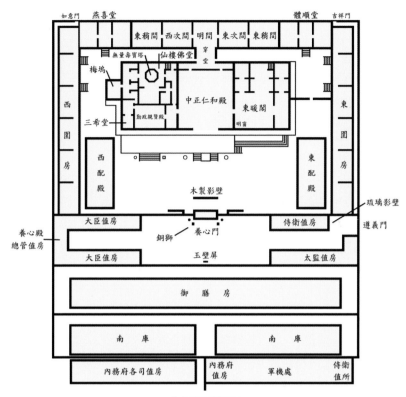

養心殿區域圖示

時，這裡曾經是個工藝中心，叫做「養心殿造辦處」。雍正即位後，借口不忍再居住父皇的「乾清宮」中，而將寢宮正式設在「養心殿」。從此雖然名義上「乾清宮」還是天子的居所，但「養心殿」才是之後八個皇帝的真正寢室了。

雍正這一舉動看似改變了紫禁城的百年傳統，實際上卻是經過深思熟慮的。第一，「養心殿」被其他的建築物層層疊疊的包裹其中，受到了嚴密的保護，第二，清代處理朝政的重要機關——軍機處近在咫尺，可以

使勤奮的雍正，即時做出政局反應。最後比較俗的是……這裡距離廚房比較近，天子可以吃到現炒現吃的飯菜，不像明代皇帝在「乾清宮」，可能吃到稍微涼一點的食物，因為從「養心殿」南邊的「御膳房」做好之後，再拿到「乾清宮」恐怕也不會熱到哪裡去（現代餐盤下面有個小火爐的設施，是乾隆時期才有的），所以明代天子就喜歡跑到這裡吃飯，清代就乾脆搬到這裡了。

要進入「養心殿」還是必須從「乾清門廣場」上的「西一長街」開始進入。在長街上有個「遵義門」，這道門在明代叫「膳廚門」，原因就是它和「御膳房」與「乾清宮」的飲食關係。現在的「遵義門」的外表和其他地方的入口一般無二，也許是為了避免吸引刺客的注意；但是入門之後，有一道製作精美的「影壁牆」。它是以黃色琉璃燒製而的，安放在地位崇高的「須彌座」上，這才表示：這之後建築物的不凡！

繞過「影壁牆」之後，我們來到一個小廣場，這裡四周都是一個個低矮的房子，是當年值班的太監和侍衛的休息室。可以想像那時在這裡面的衛士，那都是一等一的高手，沒有皇帝的允許，想通過這裡簡直是難如登天！所以說，像電視中的妃子動不動就跑來向皇帝哭訴，基本上是不可能的啦。

廣場西側底的房子，是「養心殿」總管太監的辦公室，也就是電視《後宮甄嬛傳》中，總管太監蘇培盛之流住的地方。在廣場中央的「養心門」前，可以看到它的對面有一塊玉壁，這是一個敬天的禮器，它與坐在「養心殿」內處理政務的皇帝面對面，就是提醒統治者所作出的決定，要無愧於天！玉壁後面的紅牆外，就是「御膳房」。明代末年的超級大壞蛋魏忠賢，曾經那裡改成自己的辦公室，在裡面發號施令，為此他把熹宗的

中正仁和殿

廚房改到別的地方了，可見得有夠囂張！

　　「養心門」的正面有兩隻製作精細的銅鎏金的獅子，再向兩側延伸左右各有一個小門，是供皇帝以外的人員出入的。入正門之後又有一道木門，然後就站在「養心殿」前的一個小廣場了。這個小廣場除了前面的正殿外，左右各有一個獨立的屋子，是宗教用途的。東側的「東配殿」在明代叫「履仁齋」，清代時裡面供奉著順治、康熙等等的牌位，西側的「西配殿」明代叫「一德軒」是喇嘛做法事的地方。

　　這兩個建築物的背後廂房，叫「東西圍房」，是中低階級的嬪妃，到「養心殿」時的臨時居所。「養心殿」的主體建築像一個「工」字，有前後兩個部分，中間有穿堂聯結起來，前面是皇帝活動、辦公的地方，後面是帝王的起居室。在起居室的東側，有一個地方叫「體順堂」，是皇后的臨時居所，西側有另一個叫「燕喜堂」是高階嬪妃的居所。整個建築物的底部有一個巨大的空間，可以在寒冬時間燒柴，讓殿中溫度保持溫暖，這

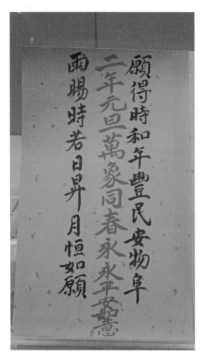

乾隆二年開筆吉言籤

在當時是非常奢侈的，想想看，這麼大的地方一天要燒多少木頭啊！

這座殿宇的前半部，中央入口處，是皇帝接見大臣的地方，叫作「中正仁和殿」，上方的匾額——中正仁和，就是雍正的御筆。匾額之下的大幅文字，是乾隆為了平定新疆「準噶爾部」所自我表功的文章（你看爺爺和老爸做不到的事，我做到了！）皇帝的寶座就設在這段文字前。寶座的兩側有門，是經過穿堂前往後面的出入口。穿堂門的旁邊各有一個大書架，原本存放皇帝的私人藏書，叫做《宛委別藏》，內容除了儒家思想的《十三經》、《史記》等史書外，還有之前皇帝的《實錄》、《四庫全書》沒有收錄到的內容，共計175本書，現存於台北故宮。

「中正仁和殿」的東側是「東暖閣」，現在所看到的布局，是清末「垂簾聽政」的場景，也就是慈安、慈禧在簾後，同治或光緒在簾前安坐，大臣在前奏事的地方。

在這個事件之前，這裡是皇帝的寢室之一，甚至說是博物館都不為過！原本在這的文物，不用說都是故宮精品中的精品！這些特殊的文物，被後世歷史學家稱為「博古格文物」，可見其獨特性。根據同治二年的記錄，這批奇珍異寶有724件之多，現在這批精品，不好意思，也在我們台北故宮中，想一睹這些絕世精品，在台灣就可以看。

剛一進入「東暖閣」的南側，靠近窗戶的地方，是「明窗」的故址。在閣中改造成「垂簾聽政」的場地前，這裡是皇帝在新年時，為天下蒼生祈福的地方。這個儀式是雍正創出的，一直被遵循到咸豐結束。過程簡單的說，是在大年初一的子時，皇帝在「明窗」下寫下一段話，然後封存起來，永世不得開啟，祈願上天實踐皇帝造福眾生的願望。這個活動有兩件重要的文物，叫「金甌永固杯」（此杯傳世有四件，兩件在英國、一件在台北故宮，最後一個在北京故宮）以及「萬年青筆」（收藏天安門旁的中國國家博物館）。大家看……乾隆皇帝在「明窗」內唸著「心經」準備寫下新年希望了，咱們還是別打擾老人家了，轉到「西暖閣」去看看吧。

「西暖閣」在「中正仁和殿」的另一邊，進入「毗盧垂花門」之後一個小玄關，然後是「勤政親賢殿」。皇帝在這裡時常召集大臣討論機密的大事，因此可以看到窗外有道特殊的隔壁，防止他人竊聽。在殿中的西壁上，原本貼了一張大表，羅列著全國總督以下、知府以上，將軍以下、總兵以上的名單，讓皇帝安排公務時能夠一目瞭然。

穿越這裡的西門進入一個走道，迎面而來是一幅非常特殊的壁畫。以西洋的筆法將這條走道的視線又向前延伸，讓畫裡的空間幾乎與真實的室內空間融為一體，形成一種新鮮而神奇的視像效果。畫中的兩個人物身穿漢服，一位是雍正，稍矮的是未來的乾隆。圖中有竹子、梅花、秀石，

平安春信圖

取竹報平安，梅花報春之意，因此有人稱為《平安春信圖》，也有人稱為《人物觀花圖》。雖然不知道這幅傑作是誰的？但根據筆法而言，當年中國只有郎世寧這位老兄才辦得到吧！因為畫中的雍正正在傳遞一支梅花給乾隆，這種有傳承意義的構圖，郎世寧有另外兩幅有署名的作品，所以這幅作品雖然沒有簽名，還是被認為是他的傑作。

「養心殿」內有個傳說：這幅畫後有個祕門，可以讓皇帝緊急逃生（一說在東暖閣「龍」字帖後），但一直沒找到。在這幅畫的南側就是赫赫有名的「三希堂」。

啊？這麼小喔？沒錯！這裡原本就是乾隆個人的休閒室，所以地方非常小，只有不到8平方公尺。愛好文學的弘曆老兄，在這裡收集歷代名家134人的835件各式作品，其中有三件絕世作品，所以把這裡叫做「三希堂」。這三件是王羲之《快雪時晴帖》、他兒子王獻之的《中秋帖》、他姪子王珣《伯遠帖》。尤其是《快雪時晴帖》，乾隆在位的六十多年間，

對這幅墨寶的熱情始終不減，經常在「三希堂」臨摹和玩味，反覆為之題跋，一生竟對此帖做過七十三次題跋，目前是留存在台灣，其他二帖因為戰亂，流出故宮在外面轉了一圈（也曾經來過台灣），最後有驚無險的回到故宮之中。

現在的學者考證認為：《快雪時晴帖》是唐代以「描填法」所做的複製品，但是這個複製品是以真品貼合製作的，而且製作工藝高超，加上時代久遠、因此仍有極高的藝術價值！《中秋帖》可能是宋代米芾，以王獻之的《十二月帖》中的字裡行間，挑出某些他認為特別的，再臨摹出來的一個字帖，所以通篇文義不明。只有《伯遠帖》才是真正的真跡！

養心殿-三希堂

「三希堂」北方的空間，有一個上下兩層結構的特殊佛堂，稱為「仙樓佛堂」。這裡是以一個紫檀木所製、高約五公尺的寶塔為中心，周圍上下都是各種唐卡和器具等等所環繞的佛堂。堂中的這座寶塔呈現七層八角閣樓的形式，製造的非常非常精巧，每一層的八面各有一扇可以開啟的門，而每一扇門內都有一個銅製的「無量壽佛」（一般人叫阿彌陀佛），所以整個佛塔上一共有五十六尊「無量壽佛」。佛塔的四周空間，因為能夠運用的地方已經不大，所以以懸掛「唐卡」為主，內容除了五方佛外，還有西藏格魯派的三大本尊、菩薩等等，構建成象徵無量聖界裡的諸佛和天人所居的地方，也就是立體的曼陀羅，非常特別。

　　「養心殿」的「中正仁和殿」及的東西暖閣，多少還有些辦公的氣息，但是經過「穿堂」到達的後部建築，可絕對是皇帝的私人空間！在「穿堂」的東西兩側各有一個小門，可以聯通到「養心殿」的前後建築，以及前往「體順堂」和「燕喜堂」小院，所以別小看這個小門，它可是「養心殿」內很重要的關鍵地點。

　　「穿堂」的北面盡頭，也就是「養心殿」後部建築的中央，在習慣上叫做「明堂」，也就是皇帝用餐的地方（或者在前面的「東暖閣」）。往東側過去又有兩個空間，是「東次間」和「東稍間」，其中的「東稍間」中掛著一塊「又日新」的匾額，是皇帝的寢室，「東次間」有個「天行建」牌匾，是他起居的地方。與「東稍間」僅一牆之隔的是皇后的「體順堂」，內部空間和皇帝一樣被隔了五間，只是規格小了許多。在同治皇帝未親政之前，慈安就曾經住在「體順堂」，與住在另一側「燕喜堂」的慈禧，共同扶持同治。

　　「明堂」的西側是「西次間」和「西稍間」，以及皇貴妃級所居住的

養心殿後殿明間

「燕喜堂」，大體內部空間的規模相同。在「體順堂」前的小院中，有一個用玻璃罩起來的物品，裡面有塊木化石。據說「養心殿」有兩個絕世珍寶！一個是會發出音樂的葫蘆，已經隨葬康熙皇帝了，另一個是夜間會發光的木化石，可能就是眼前的這個。

從康熙之後，皇家的子嗣逐漸稀少，到了同治以後，基本上各個天子都沒了後代，有好事者穿鑿附會認為，是皇帝所居的「養心殿」，在風水布局上所形成的陰盛陽衰所導致的。不知道這種說法在咸豐年代，是否被皇帝聽聞？子嗣稀疏的他相不相信這個理論呢？其實在咸豐的晚期，他開始改造西六宮的區域，準備在那擴大自己的生活範圍，不知道有沒有含有子孫興旺的希望？不管真相如何，這都已經破壞了西六宮原本整齊的規格了，使得六宮的格局顯得有些混亂。

# 在夾牆之中長大的皇帝：
# 永壽宮

由「養心殿」的後門「吉祥門」出去可以直接到達所謂的「西六宮」，但是這道小門並不開放，所以要進入嬪妃生活的區域，還是得要從「西一長街」上的「咸和右門」開始。相對於「東六宮」仍保持明代六個院落的格局，而原本的「西六宮」區域，在咸豐、慈禧之後，已經改造成「長春宮區」和「儲秀宮區」兩大區塊，以及「永壽宮」和「咸福宮」兩個獨立的院落，因此介紹起來，再也不能像東路的「弓」字形走法了，而要改用南北貫穿的方式介紹。而且「西六宮」的居住者也不限於嬪妃，就連皇帝、太后等人都往這裡擠，所以這個區域的功能也比較複雜一點。

走在「西一長街」時，可以注意到街上的宮燈。明代時，皇帝晚上的住宿，可能在「乾清宮」，或者到東西十二個宮殿其中之一去住宿。如果皇帝到某一個宮殿過夜時，那座宮殿的宮燈就會亮起來，表示皇帝在那裡睡覺。到了清代時，妃子們是到「養心殿」中留宿的，所以宮燈的作用只剩下照明了。事實上，當年紫禁城到了夜晚，大部分的門都是封閉上鎖的，有這些宮燈也沒什麼用。

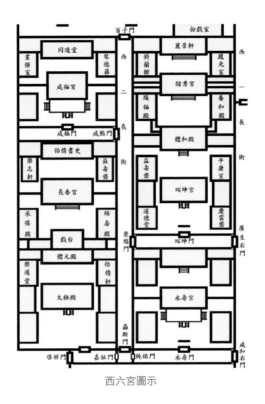

西六宮圖示

　　進入「咸和右門」之後，「永壽宮」是「西六宮」的第一宮，也是東西十二座宮殿的模範，走進「永壽門」繞過一個石屏風後，首先可以注意到「永壽宮」的滿漢文牌匾，乾隆曾經下令其他十一座宮殿的牌匾都要仿製它，所以這塊牌匾是塊祖爺爺呢！這個宮殿是與紫禁城共同興建的，剛開始叫「長樂宮」，後來在嘉靖十四年（西元1535年）改了名叫「毓德宮」，萬曆四十四年（西元1616年）又改名「永壽宮」至今。這裡住過的女人不多，倒是明代有位傳奇的紀妙善，曾經短暫居住過。

　　其實紀妙善是不是姓紀也不確定，她是廣西賀縣人，父親是當地的

永壽宮門內的石屏

原住民——瑤族的首領（土司）。成化三年（西元1467年）時，瑤族為了反抗明朝當地政府的壓迫，而進行了一場武裝叛亂，史稱：「大藤峽之亂」。明軍平叛之後，紀妙善和一個叫汪直的男人，跟著其他瑤族人民被擄到北京。汪直後來被閹割成了太監，但是憑借著自身的能力，逐漸在宮中形成一股勢力，這股勢力史稱「西廠」。大家都知道「西廠」的歷史雖然不長，但對政治腐敗的貢獻，還是功不可沒的！而紀妙善則帶來了一位皇位繼承人，間接的造成明代的一度中興。所以當時誰也沒想到，遠在千里之外的廣西，一隻蝴蝶的翅膀揮了揮，變成北京的一陣颱風。

妙善小姐被迫離開故鄉，家破人亡的流落到了北京，而且處在環境最險惡的皇宮之中，但她憑借著堅強的意志，學會了漢文和宮中規矩，融入了她必須生活下去的地方，後來居然讓她混到一個小小的女官，分派到「內藏庫」去看守庫房。有一天明憲宗皇帝——朱見深，漫無目的隨便地逛到了「內藏庫」，原本只是無聊隨便走走，沒想到居然發現一個十分具

有異族風情的姑娘，且應答進退非常得體，憲宗皇帝一時興起就偷起腥來。咦……後宮的女人不是都可以讓皇帝予取予求嗎？怎麼說是偷腥呢？原來朱見深有個「老」婆——萬貴妃（萬貞兒），管皇帝老公管得非常非常嚴！弄得全皇宮的女人都成了擺飾花瓶。提起這個萬貴妃也是個超不簡單的人物，四歲就進入這個天下最虛偽、奸詐的地方，練

明憲宗

就了一身人精的本事，混到了孫太后的身旁做了宮女。

　　那一年已經三十五歲的萬貞兒，居然把才十八歲的皇子——朱見深勾引上床，來了個「老草吃嫩牛」……後來雖然挨了一百板子，不過這板子挨得真值！因為當時的朱見深，由於父親英宗皇帝和叔叔景泰帝之間

永壽宮正殿

的恩怨，被廢了太子之位，而且當父親英宗被囚，眾親信都避之不及的情境中，自己在朝不保夕、惶恐的日子裡，卻得到一個女人的安慰和以身相許，朱見深必是萬分感動，從此見深弟弟就只相信貞兒姊姊的話了。也難怪朱見深登基後，這一生也只寵愛這一個女人，為她連共患難的糟糠之妻——皇后吳氏也廢了，專寵萬貴妃一人！

萬貞兒雖然取得了獨家代理權，也產下了一位皇子，但不久就夭折了，從此肚子再也沒有大起來了，因此萬貴妃深怕別的女人懷孕而失寵，所以除了將皇帝看得緊緊之外，還將所有宮中曾經和老公睡過而懷孕的女人，全部強迫喝下藥墮胎！自己也常常一身軍裝在後宮中走來走去，威脅的意味不言可喻[22]。

朱見深和紀妙善的一場風流，當然也沒逃過萬貴妃的耳目，萬貞兒密切地注意紀妙善的動靜，不久就聽說紀妙善的肚子大了起來，馬上打胎藥也就送來了，紀妙善被迫喝下之後，胎兒居然沒打下來。這時候有位宮女趁機欺騙萬貴妃，其實紀妙善是患了「痞病」，也就是脾臟腫大結硬塊的毛病、不是懷孕了。萬貴妃見藥打不下胎兒，也就相信那位無名宮女的話，於是把紀妙善遷到紫禁城外，後宮女人養病等死的地方「安樂堂」（今北海西附近），準備在那終其一生……

紀妙善在無人打擾的情況下，順利在「安樂堂」的產下一個男嬰。敏感的萬貴妃聽到風聲後，令太監張敏前去尋找，如果真的發現就將嬰兒溺死！但張敏良心未泯，認為憲宗皇帝膝下無子，不忍斷了大明的秧苗，於

---

22 成化二年萬貴妃之子夭折後，在成化五年時，柏氏又為皇帝產下了二皇子，但三歲時又夭折了。傳說柏氏終為萬貴妃所毒殺……

是陽奉陰違回宮欺騙萬貴妃：嬰兒已溺斃。萬貴妃之前曾經受過騙，雖然不盡信張敏的話，但幾次突擊檢查都沒發現，也不由得不信。原來紀妙善和張敏，以及被廢的皇后吳氏，共同將男嬰養在牆壁的夾層中，難怪萬貴妃幾次都沒發現。於是這個男嬰在夾壁中慢慢的長到了六歲，因為怕萬貴妃的耳目發現，連胎毛都不敢剪，長到了地上……

明孝宗

成化十一年四月的某日，憲宗皇帝對著鏡子嘆息著：年華漸老而膝下尤虛……張敏聽到皇帝的感嘆之後，忍不住心中的激動對皇帝透露：有個皇子在「安樂堂」的祕密……皇帝萬分驚喜下，火速派人去接回宮中！當眾人抬著一頂轎子來到憲宗的面前，只見一個長髮及地的可愛小孩，一下轎就奔向皇帝的懷中。朱見深把未曾見面的兒子抱在膝蓋上，撫視良久，流著歡喜悲傷交集的淚說：「這是我的孩子，長得很像我！」於是這個孩子命名為：朱祐樘，正式布告天下：大明江山後繼有人了！消息發出後舉朝歡騰，只有萬貴妃日夜哭泣，她說：被人誣陷、冤枉了！

不久紀妙善也迎回宮中，封為淑妃住在「永壽宮」，她在這裡渡過了人生最快樂的時光……可是淑妃重回到宮中才一個月，就在成化十一年六月，突然好端端地死了，宮中盛傳是萬貴妃所毒殺。奇怪的是憲宗皇帝也沒深究，沒幾天太監張敏也自殺了。他為什麼自殺了？這個理由明顯可

見，是為了怕萬貴妃報復。

憲宗皇帝的生母周太后在第一時間跳出來，主動表示要照顧小孫子，於是朱祐樘就跟著祖母，在祖母照顧下慢慢長大……有一天萬貴妃設宴要招待太子，朱祐樘聽從祖母臨行前的交待，到了那裡什麼東西都不肯吃。萬貴妃問他為什麼不吃？小孩子回答的很白：「怕下了毒！」萬貴妃生氣地說：「這個小孩才幾歲，就這樣猜疑我、防備我，將來我還有好日子過嗎？」從此憂慮成疾，抱病拖了十二個年頭之後，有一次因毆打婢女用力過猛，心臟病突發逝世，享年五十九歲。

西元1487年九月，牆壁夾層中長大的朱祐樘，正式登基做了大明皇帝，他在做太子時，對父皇沉溺於神仙、佛道、聲色、貨利之事，還有朝中宵小橫行，政治腐敗的情形，知道的一清二楚，因而即位之後開始大刀濶斧的改革，並且任用正直賢能之士，更定律例、鹽法等等，革除了許多積弊。而且他非常重視水利，多次發數萬人整治黃河，帶給河南、山東沿岸的人民安定的生活，是明代少有的明君，史稱「弘治中興」。

朱祐樘掌握大權之後，曾派人至廣西想尋找母親的近支親屬，但除了一些冒認的人出現，以及知道母親的本姓可能姓李之外，可以說是一無所獲。只有將一份愛心投射在當年「安樂堂」中的廢皇后的吳氏，待之如母、聊表寸心了……

# 最後的皇太后：
# 太極殿

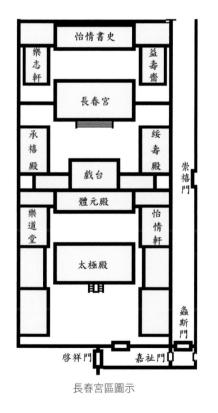

長春宮區圖示

圖中文字：
怡情書史
樂志軒　益壽齋
長春宮
承禧殿　綏壽殿
戲台
體元殿
樂道堂　怡情軒
太極殿
崇禧門
蝨斯門
啓祥門　嘉祉門

「太極殿」位於「永壽宮」之西，越過「純佑門」，經過北向的「蝨斯門」，跨過「嘉祉門」就到了。所經「蝨斯門」的「蝨斯」就是「翠玉白菜」玉雕上的蟲子，這座門的名字，和它對面遠方的「百子門」一樣，都有百子千孫的含意。慈禧曾經以「蝨斯門」為喻，暗示光緒要多親近自己的姪女隆裕皇后，沒想到光緒就是不喜歡她（說真的隆裕還真的長得有些抱歉）。

進入「嘉祉門」內，一個沒有名字的宮門（這是故宮極少數沒有名字的地方），就到「太極殿」了。在中國建築命名的方式而言，「宮」是指居住的地方，而「殿」是指辦公的地方，所以在後宮中出現了「殿」名是比較怪怪的，而且

也破壞了原本對應天上星宿的用意。

那是在咸豐皇帝時，將原本獨立的「啟祥宮」和「長春宮」打通相互串聯在一起，於是「啟祥宮」的原址成了一個辦公區域，稱為「太極殿」。而原本「啟祥宮」的後部建築，以及「長春門」等等地方，改建成「體元殿」、「戲台」等地，於是形成「太極殿」、「體元殿」、「長春宮」、「怡情書史」四進的大型院落。

咸豐這次的改建，雖然破壞了西六宮的規格，但是與「養心殿」聯成一氣，擴大了皇帝的生活範圍，擁有更建全的功能。可是改建完成沒多久，他也離開了紫禁城，最後逝世在承德避暑山莊。後世的皇帝似乎沒有發揮這個區域的功能，因此這裡還是居住著後宮嬪妃。

這裡在改建之前，最初的名字叫「未央宮」，嘉靖年間改名成「啟祥宮」。身為「啟祥宮」時還曾經讓一位皇帝在這裡躲了十幾年（加上躲在其他地方的時間總共三十年），那就是明朝的萬曆皇帝，他為了立太子的事情，和大臣們賭氣不上班！萬曆十八年時，大臣已經有十二年不見人影的皇帝，突然有一天傳旨要在「啟祥宮」召見大臣。受寵若驚的眾大臣，馬上趕到宮中時，卻驚嚇地發現皇帝虛弱地躺在床上。原來是萬曆感到身體不舒服，以為自己大限將至了……所謂「人之將死、其言也善」，萬曆皇帝「臨終」前感到「礦稅」這項措施實在禍國殃民，決定要下令取消。

您可能覺得「礦稅」為什麼是苛政？其實這是萬曆為了斂財，所想出方法。請想像一下，有政府所謂的「礦稅收繳人員」任意地闖進你的家中，指著你的家地下說：「有礦藏！」除非要拿出金錢來交稅，否則就迫令你全家搬遷，而且沒有任何補償金額。根本就是借「礦稅」之名，行肆

意掠奪之實。

這項措施搞得民間百姓拆屋失地、家破人亡……萬曆皇帝「臨終」前對首輔（首相）沈一貫和眾大臣「悔過」，下令取消「礦稅」的措施，召回「礦稅收繳人員」。大臣們遵旨退出之後，第二天早上萬曆皇帝不藥而癒，原來昨天是虛驚一場，起床的第一件事，就是令二十名太監到內閣，取消準備發出的詔書。這該怎樣形容這種情形呢？是「君無戲言」的諷刺？還是「一貫到底」的堅持？反正皇帝要貪污，除了死神之外，全天下沒有任何人或任何法律，能改變他的心意。而收集過來的民脂民膏，深藏在「養心殿」地下，結果被太監偷得一毛不剩！

明代居住這裡（當時名稱是「未央宮」）的名女人，首推明憲宗的孝惠皇后——邵氏。這位出身於浙江昌化縣貧民窟的女子，自小就以美貌而聞名鄉里，自然引起各方人士的爭相聘娶，但奇怪的是，每一個下聘的青年，不管八字有多重，只要和邵氏定了親，就會死於非命！就這樣死了七個之後，再也沒人敢要邵氏了。後來她被爸爸為了幾個飯錢，而賣給了太監，而這位鎮守杭州的太監，也為自己的後路著想，所以投資培訓邵氏。數年之後邵氏被培養的知書達禮、善詩文，能背頌唐詩幾千首（可見她小時候多可憐……）。

邵氏的運氣真的很好！俗話說：「來得早不如來得巧」。邵氏進入皇宮之後，雖然剛開始一樣懾於萬貴妃的權威，避居到紫禁城外，有一天邵氏在御苑中咏唸自己的作品，沒想到無意間被憲宗皇帝聽到，在天子的耳裡感受到一個美麗女子的輕聲哀怨，不禁憐香惜玉並且湧出要保護她的男人心態，正好因為「紀妃事件」讓憲宗解了禁，於是正式把邵氏封為「宸妃」，賜居「未央宮」。

明神宗萬曆皇帝（入驛圖）

太極殿正面

「宸妃」算是憲宗皇帝晚年比較受寵的一位妃子，後來她為憲宗生了一位皇子——朱祐杬，受封到湖北安陸去當「興王」。明憲宗之後，是剛才提到在牆壁中長大的明孝宗，登基十八年後駕崩，由兒子明武宗繼位。武宗十四年時，劭氏的兒子興王病逝，劭氏在北京得知消息後哭瞎了雙眼。不久武宗朱厚照也駕崩（世人傳說他縱欲過度死於「春宮」豹房）。武宗無後、「興王」——朱祐杬的兒子朱厚熜是最近的血脈，因此被擁立稱帝，史稱：明世宗——嘉靖皇帝。朱厚熜千里迢迢來到北京之後，第一次見到祖母劭氏，瞎眼的奶奶得知自己的親孫子即承大統，欣喜異常的用手從頭到腳撫摸一遍，半年之後劭氏安然逝世……結束傳奇的一生。

「太極殿」最後一位女主人是葉赫那拉·靜芬。她是誰？她是慈禧老佛爺的二弟的二千金，結束清代二百七十六年統治的隆裕皇后。說實在的，靜芬這個女孩，可以說是清代最可憐的女子之一。生前雖然名為皇后，但得不到眾人的尊重、也得不到丈夫的喜愛，死後還背負著污名。她不幸的一生應該都是她的超級強勢姑姑；慈禧老佛爺直接造成的！

光緒十四年（西元1888年）在老佛爺強烈暗示下，光緒皇帝極不情願地立自己的表姊為后，慈禧為什麼如此強勢？其實都是為了完成慈禧一個無法完成的心願和遺憾，那就是自己不是由正門入宮的。不但如此、整個葉赫那拉氏家族的女人，都沒有由北京內城的「正陽門」，走過象徵正統的「中軸線」，然後經過一大堆正門，最後在「太和殿」中完成立后典禮的前例。所以慈禧無論如何，都要讓家族有這份名義，讓葉赫那拉的女人也走過皇家正門！

還記得當時的「太和門」是用布料和竹子所紮的奇蹟嗎？隆裕皇后的婚姻，就跟那時的「太和門」一樣徒具外表。史料記載，光緒和靜芬「洞

清帝退位詔書

房」的那一夜，並沒有香豔的情節可述，只有「客氣」二字可以形容。婚後靜芬對光緒而言，最大的作用是「出氣」的對象！每一次光緒在慈禧那裡受了氣，就把怒火都發在皇后身上，例如有一次把死貓放進了皇后的被子裡，嚇得靜芬大病一場……

　　無論在正史或野史中，一百多年來，人們總在各種小說、戲劇中，不斷上演著珍妃和光緒的愛情悲劇，總將珍妃描繪得如何如何的美麗聰明、勇敢堅強，而光緒又是如何如何的英明睿智，大志不遂。在他們的故事裡，慈禧永遠是棒打鴛鴦和扼殺改革的魔鬼，而靜芬呢，則分到了善妒，愛打小報告，愛陷害珍妃……一個徹頭徹尾令人痛恨的奸險角色。但在真實的歷史中，從許多當時的外國使節夫人《回憶錄》裡，描寫進宮之後和靜芬相處互動看來，皇后真的不是那種人。

　　光緒三十四年十一月初九（西元1908年12月2日），末代皇帝溥儀登極，尊靜芬為「兼祧母后」，上徽號「隆裕」，史稱：隆裕皇太后。西元1911年10月10日辛亥革命，虛弱的靜芬面對張牙舞爪的袁世凱，無論是軍、政、財，她都一樣都沒有，只有簽署「退位詔書」一途，結束了祖先

血戰而來的江山。宣統退位一年後，1913年2月22日凌晨2點，隆裕皇太后靜芬懷著對祖宗的愧疚，對幼帝的自責，離開了她不該再眷戀的人世。年僅四十六歲。

　　史書記載她的最後一段話，隆裕對溥儀嗚咽說：「你生在帝王家，一事未成，國家已經滅亡了，現在我又快死了，而你還在茫然（當時溥儀才七歲），怎麼辦？怎麼辦？」說至此，喉間又哽咽起來，休息一下之後最後淒聲說：「我與汝要永訣了。溝瀆道塗，聽你自為，我不能再顧你了。」隆裕用手指著宣統帝，眼眶間尚含淚瑩瑩，但卻撒手歸天去了。她能去哪？去不愛她的丈夫身邊？還是去看不起她的姑姑旁邊？或是去找他那沒出息的爸爸？

年幼的溥儀（袞服）

　　靜芬就是這樣一個可憐的女人，一個沒有親情、沒有愛情、沒有子女繞膝、天倫之樂的皇后，至今仍然得不到公正的評價，現在還在背著後人對她的誤解與諷刺甚至是謾罵。說她相貌醜陋，說她驕橫跋扈，說她一味出賣自己的丈夫，說她只會打小報告，說她依仗慈禧欺壓珍妃……這個不幸的女人，死後還得不到應有的解脫。

# 被乾隆永遠懷念的老婆：
# 長春宮

「太極殿」的北方是「體元殿」，屬於「長春宮區」的第二進，原本是「啟祥宮」的後部建築，後來被咸豐所改造。「體元殿」的背面，原本是長春宮門的地方，現在成了一個戲台，是慈禧看戲的地方。

戲台的兩側有迴廊聯結著「綏壽殿」（東配殿），和「承禧殿」（西配殿）。在東西配殿和兩側的迴廊中，總共繪製了十八幅《紅樓夢》小說的情節壁畫，這是慈禧五十歲的生日禮物。慈禧生前極愛《紅樓夢》這本小說，曾經還為它做過批註……於是在慈禧五十大壽前，據說在珍妃的建議下，用慈禧喜歡的《紅樓夢》橋段「寶釵撲蝶」、「晴雯撕扇」、「湘雲醉臥」等等十八段章節，為

長春宮-紅樓夢壁畫

由戲台看長春宮

老佛爺而增建的。

這個戲台和兩側壁畫的設計構想，是來自《紅樓夢》中有個「太虛幻境」的說法。每當戲劇表演時，演員從壁畫開始走向中央的舞台，就好像演員從壁畫中走出來的「太虛幻境」，為慈禧演出一幕幕動人心弦的戲劇節目。也拜現在宮廷劇的流行，「長春宮」的名稱，現在也是街知巷聞，成為來到「西六宮」時必到的地方。

其實這裡的戲劇性不只在結構方面，明代天啟帝時，有位李成妃的故事，也深具戲劇效果，值得介紹一下。有學者認為：天啟皇帝是個自閉兒，除了木工他什麼也沒興趣，政務方面他全面託付給宦官魏忠賢，搞得

政務糜爛不堪。而後宮事務則單憑他的奶媽——客氏來左右後宮,連皇后都不能干涉。有天,李成妃得罪了客氏,被客氏以皇帝名義,下旨全面封鎖「長春宮」,並且禁止供應成妃的飲食長達半年之久。半年後,客氏認為成妃恐怕早成一堆白骨了吧,於是命人開鎖入宮收拾殘局,但萬萬沒想到成妃還活著,且活蹦亂跳!一時轟動整個後宮,以為成妃有神仙幫助。

其實在李成妃之前,有位張裕妃也是得罪了客氏,在懷孕期間被活活餓死。成妃有此前車之鑑,於是就在「長春宮」的房檐上和牆壁夾縫中,藏了許多食物才倖免於難。皇帝不管自己的女人是一奇,皇帝的女人在後宮要偷藏食物?這又是一奇!恐怕只有明代末期才有的荒謬劇吧。

另一位居住在「長春宮」的女人,拜電視劇之賜,在今天就算不研究歷史的人,都知道孝賢皇后——富察氏的存在!這位皇后在十五歲時就應雍正皇帝之聘,嫁給了乾隆。她的祖父和父親都是很大的官,尤其她伯父馬齊,是雍正時期四大總理事物大臣之一,可謂家勢顯赫。她和乾隆二十二年的婚姻關係中,富察氏對弘曆照顧得無微不至,例如:有一次乾隆得到「癤腫」,孝賢皇后悉心照料了百日,電視劇中也有演到這段歷史,後來被女主角罵好了。既然提到孝賢和劇中的女主角,不仿回憶一下我們在「延禧宮」提到的,嘉慶皇帝的生母——魏佳氏,她的出身確實和劇中所提到的一樣,入宮時的身分卑微,也和富察氏相處過一段時間,深受皇后的照顧……等等,這種和史跡貼合的功力,不得不說編劇大人太厲害了。

孝賢皇后-富察氏

事實上孝賢皇后真不愧「孝賢」兩個字，在「孝」的方面，皇后時常替老公承歡婆婆──孝聖太后（甄嬛）膝下，乾隆的生母也非常喜愛這個媳婦，每次跟她在一起的時候都充滿了歡笑。在「賢」的方面……她不只照顧魏佳氏，而是對後宮的女人都同樣的照顧，將整個後宮氣氛，弄得好像放大版的手帕交似得……這麼一位廣受眾人歡迎的女主子，是像劇中所述：因為難承喪子之痛、和丈夫的背叛而自裁嗎？這就是編劇自己編的了，事實上皇后的死因是一段說不清的歷史之謎。

　　那是乾隆十三年（西元1748年）富察氏跟隨皇帝東巡之後；乘船返回京城的路上，在山東德州的地界時，富察氏突然死在河中，年僅三十七歲。堂堂大清國的皇后怎麼突然死在河中呢？正史中沒有交待，民間倒是傳說：乾隆在御舟上召來了大批的歌姬，正在酒酣耳熱之際，富察氏突然跑來跪在面前勸諫，乾隆在眾美女前惱羞成怒，將皇后推入了河中……事後這些歌姬還跟人說：「什麼九五之尊的天子？還不是跟普通男人一樣會爭風吃醋……」

　　另一個說法是乾隆與「孝賢皇后」的弟弟、一品大臣傅恆的妻子有私情，這種違背禮儀的事，令富察氏非常憤恨，時常和乾隆發生衝突。那一天在船上富察氏又為了這件事和弘曆起了嚴重衝突，乾隆皇帝大怒之下，失去了理智，逼迫皇后跳進河中。這些傳說是真的嗎？我們可以從正史記載上看出蛛絲馬跡嗎？可惜正史中只簡單寫著：「……船行至山東德州的地界時，帝痛失皇后。」是突然暴死、還是失足落水？都沒有交待。堂堂大清國的皇后死因，就這樣不明不白地載入史冊。

　　正史倒是對乾隆皇帝，在富察氏去世之後的表現，記錄的很清楚。事件發生後，乾隆立刻兼程返京，為自己從小扶持到大的愛人，穿了十二

長春宮中央明間

天的孝服。在這段時間中寫了一篇感人肺腑的《述悲賦》，文中大讚「孝賢皇后」的淑德，稱她是「古今賢后」！皇后喪禮期間，梓宮就停放在她生前的寢宮「長春宮」，而且旨令：長春宮要長期保存孝賢皇后的一切事物、將她的東珠禮冠、朝珠等等也供奉在此，等待嗣皇帝（下一任皇帝）即位後，讓繼任皇后使用。三十六年後弘曆還寫詩稱富察氏為「老伴」，雖然之後又有三位皇后。

「長春宮」自從孝賢皇后之後，一直被乾隆當做老伴的紀念館，直到嘉慶朝開始，才再有人入內居住。咸豐改造這裡之後，雖然自己沒享用到，但在同治時期還是發揮了作用。那時小皇帝居住在「養心殿」，慈安和慈禧住在「長春宮區」，到「養心殿」去「垂簾聽政」或者就近照顧

倒也便利，直到同治親政後，兩宮太后才離開「長春宮區」，各自搬到其他地方。現在「長春宮」前所看到的銅鶴、銅龜的擺設，這種超規格的裝飾，就是無言地訴說這裡曾經有過不凡的過往。

末代皇帝溥儀的妻子——文繡，是「長春宮」的最後主人，她在這裡生活了兩年，直到1924年11月5日被迫離開了紫禁城。七年後，文繡受不了溥儀的冷淡，不顧排山倒海的反對壓力，毅然和溥儀離婚！成為愛新覺羅皇室有史以來，第一個開除老公的人！溥儀為此還在報紙上發表「上喻」撤除文繡淑妃的封號。

文繡獨立生活後，曾經辦過學校，在街上賣過香煙，在報社當過校對。抗戰勝利後和一位少校軍官——劉振東再婚，在北京做起出租車的生意。1949年之後，兩人依舊在北京生活著，但是過著清苦的日子，家中用度僅靠劉振東在清潔隊的微薄薪水支持。1953年9月文繡病逝於自己不足十平方公尺的家中，享

溥儀-文繡淑妃金印

年四十四歲。說實在文繡算是幸運的，還有個相知相守的丈夫，一直在旁邊。相較於溥儀另一位妻子——婉容，由於本身吸毒的關係，加上晚年和溥儀失和，又受到日本人的壓迫等等，最終精神失常徹底成了廢人，死於吉林的監獄中，下落不明……文繡還是比較幸福的。

# 下落不明的皇后：翊坤宮

「翊坤宮」位於「長春宮區」的東側、「永壽宮」的北方。這座宮殿在紫禁城興建之初叫做「萬安宮」，後在嘉靖十四年（西元1535年）改了名叫「翊坤宮」至今。這裡和「長春宮區」一樣，在光緒十年時，為慶賀慈禧太后五十壽典，把「翊坤宮」後面的建築物，改成「體和殿」，於是「翊坤宮」和「儲秀宮」之間的巷道消失了，成了「翊坤宮」、「體和殿」、「儲秀宮」、「麗景軒」等建築的四進院落。和長春宮區中的「殿」一樣，這裡的「體和殿」是慈禧接受嬪妃朝拜的地方。

「翊坤宮」前的巷道仍然保留著，一個「光明盛昌」的木製屏門，依然存在「翊坤門」內。可以注意到「光明盛昌」的「明」字中

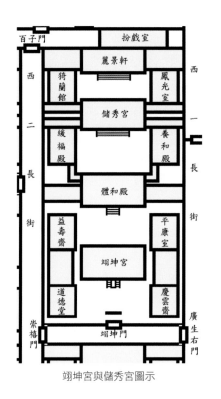

翊坤宮與儲秀宮圖示

的日裡多一橫、而「盛」字中少一點，這是「明不再來、盛無止境」的意思。屏門後的兩側配殿是「道德堂」和「慶雲齋」，它們的牌匾都是慈禧所題，另有「慈禧皇太后御筆之寶」印，尤其是「慶雲齋」的對聯，也是那個老太婆寫的。正殿的「翊坤宮」匾後面還有一塊「履祿綏厚」匾，也是她的筆跡。就在這裡的前簷前左側上方，尚保留兩個鐵環，是溥儀的妃子──婉容盪鞦韆的痕跡。

慈禧皇太后御筆之寶

提到「翊坤宮」馬上令人想到《後宮甄嬛傳》裡的華妃，那個狠毒的角色。事實上華妃不在這住，也沒那樣的陰沉，不過歷史上真有一個比劇中角色更毒十倍的鄭貴妃，在這裡生活過，明朝最後的滅亡和她的存在，有著密切的關係！連乾隆帝都在《明長陵神功聖德碑》上都刻寫著：「明之亡非亡於流寇，而亡於神宗之荒唐……」其中鄭貴妃在背後的功勞可謂罄竹難書。

這位鄭貴妃原本是個平民百姓，而且有了婚約，她後來之所以能進宮，本身就頗具趣味。那是萬曆六年（西元1578年）時，朝廷下旨選婚，也就是在民間選女人進宮的意思。北京附近有適婚女子的家庭，莫不爭先恐後的將閨女嫁出，以免被關進侯門如海的皇家。沒想到鄭小姐的未婚夫家打算趁火打劫，準備以較少的聘禮來娶鄭小姐過門，一付吃定鄭家的嘴臉，當然引起鄭家的不滿，兩家從家中爭吵到街上爭鬥。這時宮中選婚人員剛好經過，一見鄭小姐相貌姣好，於是就說：「好了……你們兩家都別

翊坤宮正殿

爭了，這個女孩我帶進宮去。」鄭小姐就這樣進宮了。

　　貴妃進宮後，為萬曆生下了三皇子，仗著皇帝對自己的寵愛，和萬曆立下了「大高玄殿盟誓」，要讓自己的寶貝兒子當上皇帝。這時萬曆的太子朱常洛就成了她眼中釘、肉中刺！「鄭貴妃」在數年間連續搞了「妖書案」、「梃擊案」等歷史事件，謀害太子不成，又造成史書上有名的「爭國本」事件。

　　所謂的「爭國本」是大臣們反對改立太子，而萬曆在鄭貴妃的鼓動下，長達三十年不出宮門，不處理任何朝政、不參加任何活動，和大臣鬥氣！大家要知道，明朝的政治決定權，完全集中在皇帝一人身上，沒有皇帝的意志，所有事物完全動彈不得，因此當時的大臣們，每天只有數著太

陽在地上影子的長度來過日子，完全沒有辦法做任何事（應該除了收稅外），例如：有犯人入獄二十年，不審、不問、不決，搞到犯人自己都想死了。明朝政治就是在這種環境下，跌進無可挽回的滅國深淵。

萬曆四十八年八月一日，萬曆駕崩，太子朱常洛即位，史稱明光宗。光宗登基後，陰狠的鄭貴妃精心挑選了八名絕世美女進獻入宮（一說六名），並且鼓勵新皇帝瘋狂的縱欲，因此光宗在即位之後，僅二十幾天身體就不行了。這時掌管御藥房的太監，竟然荒唐到給皇帝吃瀉藥，謊稱具有補身之效！皇帝因此連瀉近四十次！八月二十九日，光宗服用了鴻臚寺李可灼進獻的二顆「紅丸」，九月一日，明光宗朱常洛突然駕崩！史稱「紅丸案」，這件驚天大案，居然又是不了了之，背後鄭貴妃狠毒的影子真是清晰可見啊。

光宗登基三十九天死後，鄭貴妃還發動了「移宮案」事件，企圖影響帝位的傳承。俗話說：「好人不長命、禍害遺千年」，這位作惡多端、導致明朝滅亡的禍害，在明熹宗當上皇帝後，依然在宮中居住，直到十年之後，明思宗崇禎三年七月才過世，沒什麼「現世報應」發生，也是一奇。她一生雖然呼風喚雨，畢生心願除了掌權外，就是封后，但是在世時，費盡算計也沒有一項達成的[23]，這又應了俗話說：「該是妳的就是妳的；不該是妳的強求也得不到。」

至於她的寶貝兒子——朱常洵，在得不到帝位要到洛陽就藩時，萬曆

---

23 直到明朝滅亡後，南明的「弘光帝」才追封鄭貴妃為「孝寧溫穆莊惠慈懿憲天裕聖太皇太后」。孝寧溫穆？莊惠慈懿？用這種謚號給一個毒女人，真是個昏君！

明光宗皇帝　　　　　　　　　　　　　皇后金印

除了為他建造超豪華的府第外，還劃分了四萬頃的土地[24]（經群臣爭取減為二萬頃）給兒子，再加上國家重要的收入來源，淮鹽的鹽稅也交給兒子揮霍，而且壟斷洛陽的鹽項買賣。這還是不夠，萬曆皇帝還把四川的鹽稅和茶稅、歷年來的稅吏、礦吏所進獻的珍寶等等，都交給福王朱長洵帶去洛陽。最後這一大筆超級財富，都落入農民軍──李自成的手上，成了推翻明政權最重要的軍費！

「翊坤宮」除了明代的鄭貴妃居住外，還有一位乾隆的烏拉那拉繼皇后，也就是《延禧攻略》中的第二位皇后、《如懿傳》裡的女主角。這位皇后和電視劇中演的背景差不多，是乾隆即位前，就嫁給弘曆成了側福晉，乾隆十五年時成了皇后。看似青梅竹馬的伴侶，沒想到在乾隆三十年閏二月十八日那天風雲變色……

那天是他們倆在南巡的某一天，上午還在杭州西湖蕉石鳴琴中共進

---

24 明朝自朱元璋分封諸子為王，就藩時的就食田地不過千頃，此後成為祖制。明神宗分封二萬頃，已大大破壞祖制了。

午餐，但到了下午皇帝突然派額駙——福隆安，送皇后由水路先行回北京。之後三個月不到的時間（乾隆三十年五月十四日），陸續把她的皇后、皇貴妃、嫻貴妃、嫻妃，共四份冊寶全數收繳，身旁服侍的宮女也從十二位，減為二位（這是最低的答應等級的配額）。

一年後烏拉那拉氏去世，乾隆把她的棺木扔到「純惠皇貴妃地宮」去，而且用得還是最低等的棺材。不但如此，她沒有牌位、不入「太廟」和「奉先殿」的紀錄，也沒有祭祀時間，要不是在東陵管理員的手上有本《陵寢易知》的話，誰也不知道這位皇后的最後下場。

你說：皇后到底做了什麼，讓多年相伴的丈夫氣成這樣？其實不但後世有這樣的疑問，當時的人們都有這樣的疑問，但乾隆只說：「……朕恭奉皇太后巡幸江浙，正承歡洽慶之時，皇后性忽改常……」至於什麼皇后性情改變？就沒再說明。而且只要有人問起，他就翻臉！不是罷人家的官，就是千里充軍。

直到十三年後，有個「秀才金從善事件」，還是跟這件事有關，乾隆才進一步說：「……後來她自犯過失，朕對她一直優容。國俗最忌剪髮，她卻悍然不顧……」原來是烏拉那拉氏剪了頭髮，才遭到如此雷霆之怒，那為什麼要剪頭髮呢？抱歉，乾隆沒說。有人說是魏佳氏要升官，烏拉那拉氏激烈反對才如此……誰知道剪頭髮的事是不是真的？誰知道剪頭髮的背後，是不是有魏瓔珞的影子？誰知道相處多年的夫妻，反目如此？誰知道母儀天下的國母，竟在一口低價棺材中容身呢？

# 從丐幫本部到享樂天堂的
儲秀宮

儲秀宮正殿

　　「翊坤宮」的背後，是慈禧接受嬪妃朝拜的「體和
殿」，這裡也是光緒皇帝和珍妃第一次見面的地方。從
「體和殿」的兩側穿越過去時，可以看到迴廊的牆壁上

有一大段文字，這是慈禧五十大壽時，群臣所上的「萬壽無疆賦」，賦文下是用藍色玻璃形成的「萬字不到頭」紋。眾所皆知「萬壽」一詞原本是用在皇帝身上，今天冠在慈禧身上，可見得當時的慈禧已經是權傾天下，而大臣的風骨也已經蕩然無存了。

儲秀宮前擺設

過了迴廊後，就是「西六宮」中最知名的「儲秀宮」。這座宮殿也是故宮始建時就在了，當初的名字叫「壽昌宮」，明嘉靖年間改名「儲秀宮」到今天。可以看到宮前有對銅龍和銅鹿，這是東西十二宮的唯一特例！表示這裡的地位崇高，為什麼這裡地位崇高？因為慈禧曾經住在這裡。

孝慎成皇后朝服像

之前提及到慈禧效法咸豐，也將「儲秀宮」的範圍擴大，於是在「西六宮區」內就有兩組生活區，「長春宮區」和「儲秀宮區」以及兩個獨立院落的「永壽宮」和「咸福宮」。就后妃居住的十二宮而言，「儲秀宮區」的面積是最大

的，也是因應慈禧享樂的個性。在「儲秀宮」還是獨立院落前，在這裡住過的妃子很多，我們在《延禧攻略》中看到的富察皇后，在封后前曾經住過這裡，還有高貴妃，甚至咱們的魏佳氏在懷孕時也住過。乾隆之後的道光年間，有位孝慎皇后住在這裡時，曾經把這裡搞得像丐幫總部似的……

這話怎麼說呢？其實歷史上的道光皇帝，他的本性就很摳門，夫唱婦隨……孝慎皇后於是率領著後宮全體嬪妃宮女，過著異常簡儉的生活。富有四海的皇帝會很吝嗇嗎？舉個例子，皇后過生日就算不普天同慶，怎麼也要張燈結綵吧！結果皇帝只是命「御膳房」在日常餐食中加了一碗麵，上面飄著一片肉而已……這麼寒酸的皇家生日慶典，皇后還為此感動不已，因為她知道老公還真不容易啊！

剛才在介紹「內務府」的時候，還記得「內務府」跟道光說：「……要是只打一個普通的補丁，只要五兩銀子」嗎？這個故事還有後續。道光回宮之後，向皇后抱怨「內務府」收費太貴了，孝慎一聽就說：「交給我補不要錢！」各位想一想，連帝后的衣服上，都是東一塊西一塊的補丁，宮女太監的衣服能光鮮嗎？連天家都穿破衣了，大臣敢穿新衣嗎？所以當時在朝廷一眼望過去，到處都是花花綠綠、一塊塊的補丁，弄得像天下第一大幫——丐幫似的。

孝慎皇后不但幫老公省錢，也幫丈夫賺錢。什麼！堂堂一國之母還需要去賺錢？這也是沒法辦法的事，老公只給她一年二十萬兩銀的生活費。別乍看二十萬兩很多，其實要支持後宮數千人的種種開銷，需要百萬才夠，二十萬在乾隆時期大概只能支撐兩個多月而已……孝慎千摳萬省、加上做手工還是不夠，那怎麼辦呢？幸好有一次內府發現一個庫房，裡面堆滿了被人遺忘的各種皮貨布料，於是聰明的孝慎提出將內庫中多餘的物品

儲秀宮西次間（果缸）

「賞」給大臣，您說皇帝賞賜誰敢不要？受賞的群臣當然要謝恩啦，這時皇后出面，開出價碼，一件貂皮二十兩等等來「謝恩」，為道光賺了不少家用。

如此支持丈夫的孝慎皇后，和皇帝相知相守二十五年後，在道光十三年病逝，享年四十一歲。雖然只和道光只有一個女兒而已，但皇帝對她敬重異常。從孝慎逝世當天開始，道光天天到靈前奠酒，並且下令王以下官員，只要有「頂戴」者，百日內均不得剃髮，並且要停宴止樂一年。可以說對孝慎皇后極盡哀榮。

孝慎皇后之後，居住在「儲秀宮」的名人，當然首推慈禧太后！這時

孝哲毅皇后（同治皇后）

「儲秀宮」也早已從丐幫總部，轉化成富麗堂皇的代表，人們說來西六宮不看「儲秀宮」等於白來了！慈禧進入紫禁城最初的地方就是這座「儲秀宮」（也曾住過「咸福宮」、「長春宮」）。五十歲生日時，光緒花了六十八萬兩白銀將「儲秀宮」整修擴建，成為現在所看到的樣子。在這裡也能看到最多她的痕跡，在宮外四周的匾額，都有她的筆跡，甚至現在宮中的擺設，也是當年她住的樣子。

首先可以看到宮前一對銅龍，這是慈禧五十歲的生日禮物，也是東西六宮中唯一有如此擺設的特例。宮內中央的「明間」，有慈禧的寶座，她在這裡接見人用的。宮中的「西次間」，是她的起居間，比較特別的是：可以看到此間靠西的地方有一口瓷缸，那是養金魚的嗎？不是！那是放水果的。慈禧有一項嗜好是擺水果聞香，這口瓷缸就是放水果的。根據記載：她僅蘋果的用量，一年就使用超過十五萬八千顆。難怪有人認為慈

禧生活奢靡。宮內的「西稍間」是她的臥室，裡面還擺設著許多她的梳化妝用具。另一邊的「東次間」和「東稍間」是她活動的空間，「東次間」內，有一對象牙做的龍首鳳首舟，和「東稍間」有一對象牙塔，特別引人注目。

慈禧太后姓：葉赫那拉氏、鑲藍旗人，名：已失傳、但知道乳名叫杏兒，有學者認為她的名字叫杏貞。誕生於道光十五年（西元1835年11月29日），逝世於光緒三十四年（西元1908年11月15日），享壽73歲。他的父母家中共有6名子女，慈禧排列老二，有一個姊姊、二個妹妹和三個弟弟。其中自己大妹的二兒子，是後來的光緒皇帝，二弟的二女兒，嫁給了光緒也就是後來的隆裕皇后。

咸豐二年，她十七歲，應清朝秀女的制度，進入「圓明園」成為蘭貴人，從此開始宮廷的生活。一生歷經道光、咸豐、同治、光緒、四位皇帝，也經歷兩次英法聯軍、甲午戰爭、八國聯軍、太平天國、捻亂、新疆回變等等戰爭，是同治、光緒期間清朝的最高統治者，包括前面與慈安太后的兩宮聽政，掌權長達四十七年，期間發動政變兩次，立皇儲兩次，推動變革三次。

光緒十年慈禧從別的地方，搬回「儲秀宮」前，曾經有另一位皇后在此短暫居住過，她是同治皇帝的孝哲皇后──阿魯特氏。這個姓很奇怪吧，因為孝哲皇后是一位蒙古女子，所以才有一個我們比較少見的姓。她是清代唯一蒙古籍的狀元──崇綺的愛女，從小就有天縱奇才之稱！史書上形容她一目十行，而且左右手能同時書寫毛筆，是個十分聰敏的姑娘，但到了論及婚配的年齡時，卻沒有人敢上門提親，這是為什麼？因為這位小姐具有異相，她的一隻眼睛是「雙瞳」，就是有兩個瞳孔。「雙瞳」在

相學中一直是聖人的標記，例如：倉頡、舜帝、顏回等等，傳說就是擁有「雙瞳」的異相，而女人「雙瞳」日後必為母儀天下！因此無人敢上門提親。

同治十一年二月三日，阿魯特氏果然應了母儀天下的預言，進入了皇宮，期間並沒有受到同治太多的寵愛，但是阿魯特氏泰然處之，平時以書法消磨時光。成婚二年零三個月後，同治病故，阿魯特氏被上徽號為「孝哲皇后」移居至「儲秀宮」內。再二個月後，孝哲皇后在「儲秀宮」內自盡身亡，香消玉殞。孝哲皇后突然的去世，傳說是不堪受到慈禧的污辱。

因為在清皇宮中有條不成文的規矩，即便是最下賤的宮女太監在受主子責罰時，主子決不打臉，以保留最後的尊嚴。有一次同治皇后和慈禧有了爭執，慈禧命人責打皇后的臉，孝哲皇后哀求道：「奴才好歹也是從『大清門』抬進來，請太后留些情面。」沒想到這句話更是觸犯到慈禧的心病，因為她是走後門進來的。慈禧立即怒不可遏，重重打了孝哲皇后幾個耳光，皇后因此不堪其辱而自盡，年僅二十二歲。一代奇女子未能在歷史上綻發光芒就殞落，令人腕惜。

「儲秀宮」最後一位女主人，是末代皇帝的皇后（名義上，因為已是民國了）郭布羅——婉容。西元1922年11月30日，她從故宮的側門「東華門」抬進這個小朝廷，因為清帝國已經不存在了，所以這一次的後宮正妻，沒有從正門進入紫禁城。

她在紫禁城中的二年時光中，渡過了一段無憂無慮、快樂美好的日子。那時她將「儲秀宮」的「西暖閣」改建成西式浴室（現今已改回慈禧年代的布置），「東暖閣」則是她的臥室。「儲秀宮」的後方建築物——

「麗景軒」內，原本西側有個小舞台，後來也被婉容改成西式餐廳。就在這個餐廳的餐桌上，西元1924年11月5日那天，溥儀夫妻突然被迫離開「紫禁城」。當時溥儀正咬著一顆蘋果，驚嚇到掉在地上。「紫禁城」改成故宮開放一般人民參觀時，那顆蘋果還在「麗景軒」的餐桌上，注定要消化在歷史中。

　　婉容離開「紫禁城」之後，跟著溥儀到天津，然後輾轉去了東北。由於本身有吸食鴉片的習慣，於是在生活中也逐漸糜爛，終於引起溥儀厭惡遠離。婉容於是轉向一名侍衛尋求安慰，並且生孩子（溥儀的著作《我的前半生》所述）。溥儀為了顏面一直沒有取消她「皇后」的身分，但再也不和她見面。直到1945年日本戰敗，婉容被共軍捕獲後，隔年逝世吉林省的延吉監獄中，屍身草率丟棄……不知下落。2006年以招魂的方式，和溥

婉容金冊

儲秀宮南炕上餅干匣和半顆蘋果

儀合葬在清西陵外的「華龍陵園」。

## 慈禧外傳

慈禧太后一生的傳奇相當得多，車載斗量不完！而且真假難辨。據說，慈禧的本名叫葉赫那拉・翠蘭，光是「葉赫那拉」這個姓就是傳奇！傳說：清朝開國之主努爾哈赤，發動「古勒山之戰」征討自己的親舅舅所率領的海西女真部時，該部貝勒金台吉臨死前發下詛咒說：「即使我葉赫族裡只剩下一個女人，也要將建州女真滅亡！」於是後來的滿清皇帝為了迴避此詛咒，均避免冊立葉赫部的女子為后。正巧慈禧太后是葉赫部的後代，而清帝國在她的主政下邁向衰亡，因此有人說慈禧太后的出現，正是葉赫部的詛咒應驗。

《清史稿》中記載：慈禧的曾祖父叫吉朗阿，曾做過類似今天「科

長」等級的戶部（財務部）員外郎，祖父叫景瑞，也曾做過類似今天「科長」的刑部員外郎。父親惠征，曾做過安徽寧池太廣道的道台（類似今天的行政專員）。

傳說：聖人出生、天必異相！而慈禧出生於清道光十五年，那時中國的土地遭受到旱災、黃河決堤、和蝗災三種禍害齊至，算不算她的異相？咸豐元年，慈禧和妹妹蓉兒，應朝廷詔選秀女的命令，來到了北京。途中有野史說，姊妹倆乘坐船行經蘇北青江浦時，當地縣令吳棠陰錯陽差的送了倆姊妹三百兩白銀。當吳縣令發現給錯人後，不但沒有索回，反而親自上船慰勞姊妹倆，使得姊妹感恩莫名，發願有照一日發跡時，一定好好報答吳恩公！

吳棠在歷史上確有其人，而且升官非常快，從一個小小的縣令開始，一路做過江寧布政使、漕運總督、江蘇巡撫、兩廣總督、閩浙總督、四川總督等，而且全是從慈禧得勢之後開始，是巧合還是真有送錢的事？給後人無限幻想，因為三百兩白銀實在太便宜、太便宜了！

言歸正傳，慈禧選入清室之後，並沒有馬上見到皇帝，而是在「圓明園」中的「桐蔭深處」這個景點（圓明園福海東南方）中當個小小的宮女。有一天咸豐皇帝準備前往園中「別有洞天」的「水木清華之閣」去午睡片刻。通往「水木清華之閣」的路線有二條，慈禧以重金買通咸豐身旁的太監（這時吳棠的三百兩白銀發揮了巨大的作用），使皇帝的御駕經過「桐蔭深處」這個景點。

然後慈禧經過精心的打扮後，以在江南所學的小調，果真吸引到皇帝聞聲而至，在「天地一家春」這個地方成為咸豐的女人（慈禧在「頤和

園」中有許多物品，都有「天地一家春」的字樣，似乎是紀念這件事）。慈禧受了皇帝的「臨幸」成了「蘭貴人」之後，其實地位並沒有提升多少，因為環顧四周，皇帝的身旁盡是競爭對手。光是「圓明園」內收藏的美女就難以數計，更別說咸豐身旁的四大絕色——牡丹春、杏花春、武林春、海棠春，也就是禧、慶、吉、璷四妃。說也奇怪……咸豐有如此多的妻室，當時後宮之中卻安靜異常，如果不是慈禧一次就「中獎」了，咸豐終於有了子嗣，在「桐蔭深處」的豔遇，幾乎是個可以忽視的小插曲……

慈禧成了「蘭貴人」之後，跟著咸豐回到「紫禁城」就賜居住進了「儲秀宮」，這個地方也成為蘭貴人開始發跡的地方，一路由貴人到懿嬪、懿妃、懿貴妃（「懿」是善與美的意思，用在老佛爺的身上有點……）到成為太后，主宰天下四十年。

# 想做皇后想到死：
# 咸福宮

　　「咸熙宮」位於「儲秀宮」的西側，是「西六宮」區域內，第二個還保留著明代規格的獨立院落。這裡在明代初建的時候叫「壽安宮」，嘉靖年間改成今天的名字。它雖然位於後宮嬪妃的居住區，但功能卻不僅僅是娘娘們的地方，清代時也兼皇帝的生活區和收藏室，可以注意到它的屋頂是屬於高等規格的「廡殿頂」，就知道它在西六宮中的與眾不同。

　　從乾隆開始，有時候皇帝在「養心殿」住膩了，會到「咸福宮」來小住一陣子，改變一下居住環境。嘉慶、道光、咸豐三位皇帝也在父皇駕崩後，都選擇這裡做為結廬守孝的地方，尤其是咸豐脫去孝服後，更在這裡居住了很長的時間，今天「咸福宮」的內部擺設還是維持他當年居住時的樣子。

咸福宮圖示

　　明代住過這裡的妃子，大多沒在歷史上留下什麼痕跡，倒是在道光時期，曾經有位彤貴妃住在這裡。道光十五年，這位舒穆祿氏十五歲時，應秀女制

清乾隆洋彩漁村行樂轉足碗

霽青描金游魚轉心瓶

度入宮，賜號「彤」也就是「鮮豔美麗」的意思。她的一生動盪起伏、頗具戲劇性，入宮五年之間就從貴人入嬪位、升妃位到貴妃了，離副皇后的皇貴妃只有一步之遙了，升官算異常飛快的！但不久就像跳崖似的回到了貴人的身分……

為什麼她會遭受到如此的打擊呢？只能說她的個性單純，不了解後宮的潛規則……對人不是太好就是太壞，她成為貴妃之後，曾經兩次嫌服侍的宮女笨！而將她們趕出宮外……要知道清代入宮的女人是要看家世背景的，雖然只是個宮女，說不定是屬於某個強大家族的一分子。而彤貴妃本身家世並不顯赫，根基並不紮實，隨便趕人出宮也不看看人家的背景，因此被人檢舉把皇帝御賜之物送給了太監，這個舉動等於是對皇帝的大不敬之罪！所以她在成為貴妃五年後，又回到了入宮時的原點。

幸好這位小姐的命夠長，每

次都熬到皇帝駕崩而升官……被罷貴妃身分六年後老公去世後，她升回嬪位，十一年後咸豐死後又升回妃位，同治臨終前幾天，將她復位貴妃身分，成了「皇祖彤貴妃」，又過了三年後，彤貴妃去世……結束她一生平淡無奇、卻又動盪起伏的一生。

這位彤貴妃曾經遙望后位而不可得，另一位道光時期的博爾濟吉特氏的遭遇也差不多。現在在歷史上稱為孝靜成皇后的博爾濟吉特氏，事實上，老公在世時，沒當過一天皇后，但卻做著皇后的工作，臨終前才被自己的兒子假傳聖旨，做了幾天的太后。就這樣名不正、言不順的過完她最後十年……

這位博爾濟吉特氏小姐入宮時才十二歲，封號靜貴人。她為老公生下了三子一女，其中一子就是日後的恭親王奕訢。道光二十年，皇帝珍愛的紐鈷祿氏皇后去世，天子在悲傷之餘決定終生不再立皇后，但把博爾濟吉特氏提升到皇貴妃的地位來總攝後宮，並且把皇后的愛子——奕詝交給靜皇貴妃扶養……所以她算是咸豐皇帝的養母。

咸豐皇帝即位以後，感念太妃的養育之恩，以太后的規格奉養她，但是太妃卻認為，自己以皇貴妃的身分，名不正、言不順的治理後宮十年，付出的辛勞可比一位皇后的操勞還多！希望咸豐以孝的角度，封自己為太后得到「正室」的名分。但是咸豐卻認為：太妃不是先帝皇后，又不是自己生母，以「養母」的身分立太后，歷朝歷代沒這個例子，而且已經提供了皇太后規格的奉養，實在是沒有任何理由再封太后。

咸豐五年六月，太妃病危，她的兒子，恭親王奕訢對皇帝說：「額娘已經快不行了！現在還屏著一口氣是為了等皇兄封她太后，就死而瞑目

了！」咸豐聽了心中酸楚，隨口應了聲：「哦，哦！」其實這只是感嘆之詞而已，奕訢卻刻意曲解，藉機矯令禮部準備冊封皇太后典禮事宜，企圖迫使咸豐接受既成事實！雖然咸豐極為不滿和憤怒，但未取消準備工作，可是卻在喪葬禮儀的規格上加以降低，而且在諡號上不加道光帝的「成」字，以表示嫡庶有別。再加上規定太妃的神位不入太廟、不能享受後代的香火，也不能得到宗室的承認等等待遇，造成他們兄弟倆衝突加劇的場面！

那為什麼現在又叫她孝靜成皇后，繫了道光帝「成」字諡號呢？那是咸豐死後，奕訢參與了「祺祥政變」，幫助慈安和慈禧全面掌握朝政。兩宮太后為了感謝恭親王的辛勞，以同治的名義下詔，將他母親繫了諡號、神位升至太廟等等。博爾濟吉特氏終於在逝去六年後，如願地正式獲得了道光帝皇后的地位，享受後代的香火。

「咸熙宮」內的空間，不但是皇帝和妃子所居住的地方，同時也是天子的收藏室。在正殿之後的「西配殿」叫

洋彩瓷黃錦地乾坤交泰轉旋瓶

白瓷嬰兒枕（北宋定窯）

「畫禪室」是收藏古代畫作，尤其是元代黃公望的《富春山居圖》，和王維《雪溪圖》原本就收藏在這裡。提到《富春山居圖》，那是乾隆一生最愛的畫作，有一年他得到《無用師卷》和《子明卷》兩個版本，後來乾隆判定《子明卷》才是真跡，在上面反覆題寫評語達到五十五次，並且出外巡幸時都帶著它，也因為如此才使得真正的真跡《無用師卷》，得以保留原貌到今天。另一面的「東配殿」叫「琴德簃」是收藏古琴的地方。

　　兩個配殿的中央，也是「咸福宮」的後部建築叫做「同道堂」，這個地方以一顆印章而為人熟知。那是因為咸豐常到「咸福宮」居住，便以「同道堂」的名字製了一方印章，後來臨終前交給了慈禧，並且規定之後的詔書要蓋上這顆印，和慈安手上的「御賞」印，兩方印章同時出現才能產生效力，所以「同道堂」這裡不但是慈禧生下同治的地方[25]，也是老佛爺掌權的發源地。在「同道堂」中的「東稍間」裡有塊特別的匾，用滿

---

25 學術上一直有慈禧在「同道堂」或「儲秀宮」生下同治的爭論。有學者認為：由於慈禧在咸豐五年時，曾經被禁閉在「同道堂」中，並在這裡產下同治。慈禧之後為了消弭自己曾經犯錯的過去，而堅持在「儲秀宮」生下同治。

漢文寫著「克敬居」，特別的地方是用藍銅礦石（石青）鑲嵌的，為咸豐守孝時寫的[26]，是故宮唯一的藍色匾額。

看完這裡的故事，我們也等於把東西六宮的過往雲煙、愛恨情仇等等，全數重點走了一遍，踏過先人的足跡之後，我們將要邁開自己的新步履，踏入一個新開放的地方。

---

26 清代皇帝遇到大喪時，會把平時批寫公文的紅筆（稱為朱批），改為藍色（稱為藍批）。

# 小燕子的家：
# 漱芳齋

　　「咸福宮」與「儲秀宮」之間有條「西二長街」，穿
過它的北面「百子門」後，就來到「重華門」了。在乾隆
之前，這裡叫「乾西五所」，是皇子們居住的地方。乾
隆結婚後曾經從「毓慶宮」搬到這裡的「二所」居住，
所以對這個地方有很深的情感，因此當上皇帝之後，就
把這個肇祥之地加以改造。他將五所的「一所」，改建
成為今天的「漱芳齋」，「二所」是「重華宮」，「三

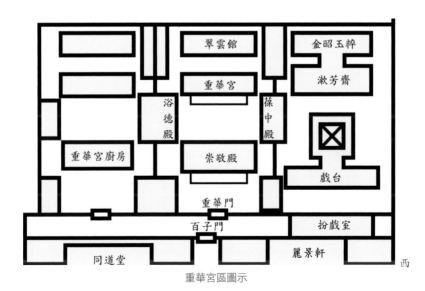

重華宮區圖示

所」成為廚房，「四所」和「五所」再加上些其他空間，改造成「建福宮花園」，從此這些地方都成為皇帝個人休閒的場所。現在也是故宮接待外國重要元首的地方。

## 重華宮

進入「重華門」之後，眼前的建築物是「崇敬殿」。殿中一塊「樂善堂」的匾額位於寶座上方，這塊匾很特別，是乾隆成為寶親王時所題，也許是他在故宮中所題的第一塊匾！兩側的對聯則是名臣張廷玉寫的。殿中的「西暖閣」中的「吉雲持地」匾，也是乾隆題的，已經多到不稀奇了，稀奇的是「東暖閣」中的「意蕊心香」匾，是康熙為數不多的筆跡。

穿過「崇敬殿」之後，是這個區域的主要建築——「重華宮」。它的「西配殿」叫「浴德殿」，是作為乾隆的書房，「東配殿」叫「葆中殿」，原本保存《欽定古今圖書集成》的地方。此書是康熙至雍正年間所編輯，內容大約50多萬頁、1.7億字、1萬多幅圖畫，是現存最大的古代百科全書。

在「重華宮」內的「西次間」是乾隆舉行「茶宴」地方。那可不是普通喝茶的地方，而是一種特殊君臣聚會。從乾隆八年開始，至咸豐年間為止，參與的王公大臣有人數上的限制，並且也要求擁有極高文學素養的人才能前往，因此能參加「茶宴」的人員，被認為深受皇帝信任，而且才學得到高度的肯定才被邀請，是莫大的光榮。「茶宴」的舉辦，一年僅有一次，約在大年初二後的某一天舉行，為了慎重起見⋯⋯事先要先由「欽天監」選擇黃道吉日才召開。

在「茶宴」過程中，與會人士除了品嚐以梅花、松子、佛手，特殊調

重華宮西次間

漱芳齋戲台

康熙帝御筆福字

製的「三清茶」外，還要共同創作「聯句」。這是一種眾人共同創作的文體，由皇帝出題後，大家按順序依題應答，最困難的是要承續前一位應答的語意音韻，再立即以四句左右（看當時參加人數，決定每人句數）的詩詞應答，是一個難度極高的文學遊戲。「茶宴」結束後，與會人員可以將「三清茶」的茶杯帶回，留作紀念。

「重華宮」內的「東稍間」是乾隆休息的地方。宮的北面還有一個叫「翠雲館」的後殿，它內部的「東次間」，叫「長春書屋」是乾隆即位前的讀書地。

## 漱芳齋

原本「乾西五所」中的「一所」，成了皇帝休閒娛樂的「漱芳齋」。在一般人的印象中：「漱芳齋」庭園中有棵大樹，飾演小燕子的演員，曾經爬在樹上躲避攻擊，事實上那是在承德「避暑山莊」中拍攝的，真實的「漱芳齋」中沒有樹，倒是有個巨大的戲樓，在「寧壽宮區」的「暢音閣」建立之前，這座戲樓是故宮最大的戲樓。雖然它只有一層的表演舞台，但是戲台上有樓，樓內架設有轆轤機關，可以把演員吊掛下去，演出神明降世的戲碼，舞台下有井，可以使用「激桶」應劇情需要製造水柱的效果，是故宮最常舉辦戲曲表演的地方。

西元1923年，那時清朝政權已經結束了，但在這個舞台上還是舉辦過一場戲劇表演，那是為了同治的瑜妃（敬懿皇貴妃）所辦的生日宴會，那次的戲曲也成為宮中最後一次戲曲活動，一年後溥儀離開紫禁城，所以那一次的鑼鼓聲也成絕響。

提到瑜妃，其實在一般人的心目中沒啥有名氣，但是這位夫人可幹過

漱芳齊-風雅存戲台

大事！那是在「八國聯軍」攻入北京時，曾留在宮中和聯軍統帥周旋，對安定人心起了莫大的作用。另外她也做過一件轟動文藝界的事，就是把國之重寶「三希」中的《中秋帖》和《伯遠帖》偷出宮外變賣。這兩件至寶輾轉流經海外（也曾來過台灣），後來有驚無險的回到北京故宮之中。

　　「漱芳齋」本身建築物呈「工」字形，是皇帝休閒及舉行小型宴會之地。自乾隆改造這裡之後，原本有個習俗稱為「嘉平書福」，也就是在十二月初一時（古稱十二月叫嘉平），為天下生靈祈福的儀式，被定制在這裡。那時皇帝有一隻特別專用的筆，叫做「賜福蒼生筆」，專門用來寫

「福」字。每次大約寫十張左右，然後分賜大臣，當然接到的臣子自然是感激涕零！清代皇帝就是用這種手段來籠絡人心。

經過一個穿堂，來到「漱芳齋」的後殿，叫「金昭玉粹」，是供皇帝用餐聽戲時使用的。皇帝吃飯的地方在「金昭玉粹」內的東側，叫做「高雲情」。乾隆坐東面西，他的對面的小舞台叫「風雅存」。怎麼知道叫這個名字呢？因為這兩側都有乾隆御筆的牌匾，表明的清清楚楚。據說，弘曆有時也會上去唱兩句。不知道一生風雅的乾隆皇帝，在嗓音方面的才藝怎麼樣？史上沒紀錄，恐怕也不怎麼樣吧⋯⋯不然史書上一定大加吹捧吧！

「乾西五所」的「三所」是個廚房，想當然耳是皇帝在「漱芳齋」或「重華宮」時，準備御膳的地方，到了今天、它的功用還是持續著。每當有重要外國元首訪問故宮時，「重華宮」的廚房依然是熱鬧非凡，仿佛時光回到了過去。至於「四所」和「五所」，在乾隆時期已經被獨立分割出去，成為另一個故事了。

# 神祕禁地：
# 雨花閣

　　「西六宮」的西側，有一片神祕的區域。說它「神祕」可一點都沒說錯……它不但是故宮至今仍未開放的區域，也是故宮內最大的藏傳佛教建築物，裡面供奉藏傳「密宗」神像的地方，所以用「神密」來形容是名副其實！它就是令人無限遐想的「雨花閣」。

　　乾隆年間，那時乾隆有個青梅竹馬的摯友，就是章

雨花閣外觀

嘉三世活佛。有次弘曆和活佛，談到西藏宏偉的「托林寺」時，提到裡面有個壯觀的「壇城殿」，讓皇帝欣羨不已，決定要在宮中的西側，建了這座「雨花閣」來與「托林寺」爭輝！於是在乾隆十四年開始，以「密宗」四個境界的理念，來設計「雨花閣」中的布局。

現在看到這座「雨花閣」高25公尺，外表看起來有三層建築。可以注意到一二樓的屋頂是藍色的琉璃瓦，但是頂層上的所有物品，包括藏式佛塔、行龍、瓦片等等都是銅鎏金的，所以在陽光的照耀下顯得金光閃閃！根據檔案記載：屋瓦和寶頂塔用銅265斤（132.5公斤），四條昂首待飛的行龍用銅720斤（360公斤），所以這座「雨花閣」頂著500公斤的重量，屹立了數百年不倒，這在故宮之中是絕無僅有的！

實際上「雨花閣」內部有四層，按「密宗」的「事部」、「行部」、「瑜珈部」、「無上瑜珈部」的理念設計興建。所謂「事部」是指侍奉，「行部」是指實踐，而「瑜珈部」是指與神佛的相對應，又分為「胎藏」（天賦）和「金剛」（自我成就）兩方面，而「無上瑜珈部」是指聯合，也就是兩個「瑜珈」（或數層瑜珈）的結合。這種理念有點像《大學》一書的前幾句，要求一個成年人要先找到自己的天賦，從而發輝運用到生活方面，讓環境變得美好！

一進入「雨花閣」中，首先可以看到「智珠心印」的匾額，這是乾隆御筆所題的。由於這裡百餘年間極少有人進入，所以依然保持著歷史的塵埃。在第一層中觸目所及，到處充滿著各式各樣的無價之寶，其密集的程度令人不敢踏入，深怕一不小心造成無可挽回的遺憾。這也是這裡不能開放的原因，因為原本就不是供人參觀的，而是專屬皇家的私人殿宇。

　　一踏入建築物裡，可以注意到天花板上，在平棋方格中布滿了藏文的「六字真言」，這六個字按漢文翻譯叫做：「金剛不破永恒持續的慈悲心」。在地面的布置上，首先有五座寶塔豎立，這些寶塔有木製的，也有琺瑯和磁製的，是佛的代表。這些塔後的正中央，有個佛龕，裡面供奉著「釋迦牟尼佛」以及兩尊「無量壽佛」隨侍左右。佛龕後面有三座壇城，是現存世界上最名貴的立體壇城！

　　所謂的「壇城」是指神佛居住的地方，有宇宙觀的意思……這三座壇城，中央是「密集壇城」、西邊叫「大威德壇城」，「勝樂壇城」在東側，都是安放在漢白玉石所雕刻的須彌座上，壇城外面用紫檀木所製的重簷式亭子罩起來，根據記載，光是這些木材就用了46600公斤，加上三座壇城的製作報價22500多兩白銀，就已經超過「雨花閣」本身的工程費用了，足以可見它的國寶價值了。

　　既然介紹到西藏「壇城」，就不妨仔細跟大家說一下。「壇城」的藝術表現有平面和立體兩大類，平面的「壇城」有畫在紙或布料，成為所謂

的「唐卡」，也有用彩色的細沙，直接畫在地上的。而立體「壇城」有圓盤意象式的擺件，也就是在一個圓盤上，抽象地樹立數個代表物品，這種規格通常不大，一個人就可以搬動。另一種立體的「壇城」就是現在閣中看到的山體狀。它寫實地把城中的形形色色，全部塑造出來，就像一個微縮模型一樣。

現在眼前的「壇城」高0.7公尺、正方形的邊長1.69公尺，為掐絲琺瑯所製，放置在一個直徑3.65公尺的圓盤上。整個山體狀的「壇城」精雕細琢，就像一個縮小的古代的四方城池一樣！如果我們本身也能夠縮小的話，完全可以在這座山城裡面逛街（就像置身在印尼的婆羅浮屠）。首先咱們得要先爬一大段階梯，有東邊藍色階梯、西方黃色階梯、南面是白色、北側的紅階梯可以選擇……在氣喘吁吁爬階梯的同時，有個巨大的「十字金剛杵」在上空保護著我們。爬完階梯後，一道裝飾絢麗的五彩牌坊就樹立在我們眼前，到這裡我們才真正準備進城了。

金累絲崁松石壇城

這座城市像巴黎一樣，有八個方向從「凱旋門」幅射出去，在這八個方向中，星羅棋布著各式各樣的寶塔、護法神、植物、動物等等，一圈一圈的以八的倍數環列四周，都是立體造型，要羅列出上述的各個名稱，真是族繁不及備載，主要神明就在城的正中央。

三座「壇城」後面有道「門罩」，上面雕刻著眾多的飛龍，正中央上方寫著「西方極樂世界阿彌陀佛安養道場」，

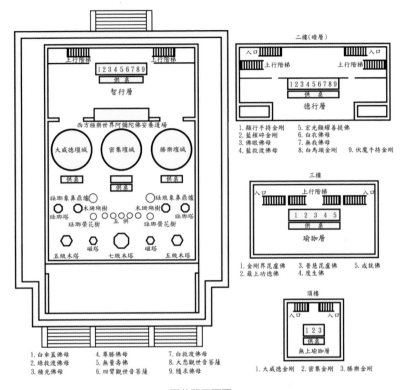

二樓(暗層)

入口 上行階梯 上行階梯 入口

1 2 3 4 5 6 7 8 9
供　桌

德行層

1. 顯行手持金剛　　5. 宏光顯耀菩提佛
2. 藍揮碎金剛　　　6. 白衣佛母
3. 佛眼佛母　　　　7. 無我佛母
4. 藍救渡佛母　　　8. 白馬頭金剛　9. 伏魔手持金剛

三樓

入口 上行階梯 入口

1 2 3 4 5
供　桌

瑜珈層

1. 金剛界昆盧佛　　3. 普慧昆盧佛　　5. 成就佛
2. 最上功德佛　　　4. 度生佛

頂樓

入口 入口

1 2 3
供　桌

無上瑜珈層

1. 大威德金剛　2. 密集金剛　3. 勝樂金剛

上行階梯 上行階梯

1 2 3 4 5 6 7 8 9
供　景

智行層

西方極樂世界阿彌陀佛安養道場

大威德壇城　　密集壇城　　勝樂壇城

供桌　　供桌　　供桌

珠瑯象鼻鼎爐　　　　珠瑯象鼻鼎爐
木珊瑚樹　　　　木珊瑚樹
珠瑯塔　　　　　　　　珠瑯塔
珠瑯纍花樹　五供　珠瑯纍花樹
磁塔　　　　　　　磁塔
五級木塔　　七級木塔　　五級木塔

1. 白傘蓋佛母　　4. 尊勝佛母　　7. 白救渡佛母
2. 綠救渡佛母　　5. 無量壽佛　　8. 大悲觀世音菩薩
3. 積光佛母　　　6. 四臂觀世音菩薩　9. 隨求佛母

雨花閣平面圖

過了這道「門罩」之後，這裡才是「密宗」四個境界的第一個層次，叫做「智行層」，供奉「事部」的眾神。中央紅漆描金的大佛龕的兩側，有用滿漢兩文寫著：「此層供奉智行品佛應念智行品內無量壽佛……白傘蓋佛母等經[27]」。其實就是告訴我們，這個境域是以中間的「無量壽佛」為主神，以及兩側延伸出去的其他各神名字，共有九個「事部」神明。佛龕前的供桌上擺放著和神明相應的各種法器。

27 此層供奉行智品佛、應念智行品內無量壽、四臂觀世音菩薩、尊勝佛母白救渡佛母積光佛母、大悲觀世音菩薩、綠救渡佛母隨求佛母、白傘蓋佛母等經。

經過大佛龕之後，又是一道「門罩」做區隔，然後兩側有樓梯可以到達第二層，叫做「德行層」，供奉「行部」的眾神。這一層在「雨花閣」的外表上看不出來，所以又稱為「暗層」。同樣的，中央佛龕兩側的文字告訴我們：這裡是以「宏光顯耀菩提佛」為主的「行部」九神[28]。特別的是這裡有可以從比較高的地方，欣賞在第一層的「壇城」。

從剛才上樓的地方，另有樓梯可以到第三層的「瑜珈層」。這裡的佛龕比較小一點，佛龕旁的文字說這裡是以「普惠昆盧佛」為主的五尊神明[29]。而最後一層就是象徵藏傳「密宗」的最高境界「無上瑜珈」。中央的佛龕裡只有三尊，分別是「密集金剛」、「大威德金剛」、「勝樂金剛」[30]，與第一層的「壇城」相呼應。有人說「雨花閣」不對外開放，是這三個金剛都是令人「害羞」的雙身佛。其實現代思想開放，那些姿態根本算不了什麼，實在是因為這裡原本就不是讓許多人進來的地方，而且這裡的空間狹小、國寶星羅棋布……萬一讓人碰壞了，可是巨大的損失啊！

「密宗」的雙身佛又稱「歡喜佛」，其實從名字就知道祂的含義：見世間萬事萬物無不歡喜。雙身佛就是借本身的造型，來引喻忘我的境界。漢傳佛教說「一沙一世界」，用不同的角度看世界，自然處處充滿驚奇的愉悅說法，這兩者理念是可以相通的。這也是「無上瑜珈」的意義，不要用人的眼光看外表，要用神的高度來看世界，要知道東方的宗教裡，人是可以成為神的！

---

28 此層供奉行德品佛、應念行德品內宏光顯耀菩提佛、佛眼佛母、無我佛母、白衣佛母、藍救渡佛母、顯行手持金剛、伏魔手持金剛、藍摧碎金剛、白馬頭金剛、無量壽佛等經。

29 此層供奉瑜伽品佛、應念瑜伽品內金剛界昆盧佛、成就佛、最上功德佛、普慧昆盧佛、度生佛等經。

30 此層供奉無上品佛、應念無上品內祕密佛、威羅瓦金剛上樂王佛等經。

大威德金剛

密集金剛

勝樂金剛

無上瑜珈品三大金剛

雨花閣區域

　　整個「雨花閣」內共有29尊佛像，60張珍貴的唐卡（其中第三層有三張不知去向），都有一定的位置擺放，與「密宗」的宇宙觀緊密結合。而且每一層的祭祀時間都有明確的規章。農曆3月8日和6月8日；以及9月和12月的15日，這四天要15個喇嘛在第一層唸《釋迦壇城經》，第二層的祭拜時間是每月的6號，2月8日和8月8日時，要10個喇嘛在第三層唸《毗盧佛壇城經》，最上層僅有4月8日時，派5名喇嘛唸《大布畏壇城經》即可。這些儀式在清朝滅亡前，都被嚴格尊行著，直到現在蒙上了一層歷史的塵埃。

　　「雨花閣」所在的區域內，還有三個獨立的建築物。它的「西配樓」是供奉六世班禪影像的佛堂，「東配樓」是供奉章嘉三世活佛影像的佛堂。在「雨花閣」的西北方向有個「梵宗樓」，更是特別的地方！

銅鍍金大威德布畏金剛

這座「梵宗樓」是乾隆三十三年，用了5726兩白銀所興建的，是這個區域內最晚的建築物。一樓供奉了一尊故宮最大的「文殊菩薩」，高173公分。這尊塑像非常奇異，就像洛陽龍門石窟的大佛，武則天把自己的臉放上去一樣，乾隆也把自己的臉；代替了這尊「文殊菩薩」的面容，因為他認為自己是「文殊菩薩」的化身，所以把祂塑造成自己是理所當然！在二樓之中所供奉的是「大威德布畏金剛」。這在西藏的觀點來看，金剛是「文殊菩薩」所化身為的戰神形象。

既然自己是智慧的菩薩，當然可以創造出盛世天下！既然「大威德布畏金剛」也是自己的化身，所以有「十全武功」的戰功也不足為奇吧。因此乾隆把自己全套御用的衣冠、盔甲、兵器、佩飾等等放在金剛的兩側，就是意喻乾隆與祂為一體！這樣把自己塑造成文武雙全的布局，在故宮之中是獨一無二的！

## 中正殿

「雨花閣」區域的北面，在穿越「昭福門」之後，就到了另一個宗教性的建築群叫做「中正殿」，明朝第四位皇帝，仁宗朱高熾就駕崩於此。這裡的建築物有「寶華殿」、「香雲亭」、「中正殿」、「淡遠樓」等。這個區域在明代時就是宗教性的建物，在歷史上曾經有過許多名字，直到明崇禎時間才定名「中正殿」到今天。不過那時候是屬於道教的，而現在是藏傳佛教的地方了。這個地方對於宮內信奉藏傳佛教，有著極為深遠的

影響。康熙三十六年「中正殿唸經處」成立，主掌北京所有藏傳佛教的活動，包括製作佛像、唐卡等等，所以使得「中正殿」這裡成為北京藏傳佛教的中心！

「寶華殿」前的小廣場，是百年前宮內舉辦大型佛事的場地，例如年終的跳「布札」（送歲）等等。「寶華殿」內主要是供奉釋迦牟尼佛的，這尊佛像可是純金做的，清朝皇帝常常來看看它。「寶華殿」繼續向北是「香雲亭」，裡面原本有座金塔，可惜在1923年6月26日晚上9點時，受「建福宮花園大火」的影響付之一炬了，也從這裡開始，向北所見的所有的建築物，都是近年重建的。

「香雲亭」再向北才是真正的「中正殿」，這裡面原本收藏了一個雍正時所製作的大金塔，也是藏傳佛教喇嘛唸經辦理佛事的地方，不過現在看到的是災後重建的，所以大金塔的型態也只能想像了。這裡最後一個建築物叫「淡遠樓」，是紫禁城內四座「六品佛樓」之一。

總之在西六宮的西側部分，是藏經佛教在故宮之中，最重要的據點了！

# 消失的國家寶藏：
建福宮

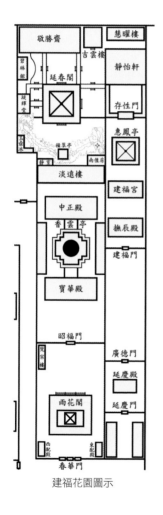

建福花園圖示

在「雨花閣」與「西六宮」間，其實還有一個寧靜的空間，也是專屬皇帝的祕密花園，叫做「建福宮區」。在這區域內有各種建築以及一個精巧的花園，乾隆皇帝將他一生所收集的文物，大部分集中在這裡，百年之中沒有人打開過這裡的寶藏，直到溥儀發現到這批驚人的財富，但也因此讓無數的文物，消失在歷史當中了。

這個「建福宮區」，原本是「乾西五所」的「四所」和「五所」再加上向南擴展的空間而成，所以呈現像「7」的多邊形。它的正門「建福門」位在花園的東南方，也就是在「7」的那一豎的中段，而在「建福門」的更南方，還有一個獨立的院落叫「延慶殿」。這座殿宇的最大功用，是每年農曆二月初「立春」時，皇帝要到這裡九叩迎春，為天下臣民祈福，然後要寫首詩，為新

的一年許下心願。

進入「建福門」之後，就等於走進了國家寶藏的範圍了。這塊宮殿帶花園的設計，是乾隆本人親自的構想，所以建成之後非常喜歡，時常駕臨這裡游憩，並且在這裡有過許多的詩句，盛讚這裡的景色，例如：《建福宮賦》、《建福宮紅梨花詩》等，其實就是拐彎抹角地說自己聰明。

過了「建福門」之後的建築物叫「撫辰殿」，光看這個名字就知道與上天有關，沒錯！這裡面有天上眾神和四季神明的牌位。另外更有一個特殊的功能，就是乾隆每年歲末時，在這裡宴請蒙古王公，會在這樣私人的地方宴請客人，有把對方當作自家兄弟的意義。大家在神明的面前重申盟好，永遠擁護清朝！經過「撫辰殿」之後才是名副其實的「建福宮」。

「建福宮」建於乾隆七年時，至今已有三百年的歷史了。它的

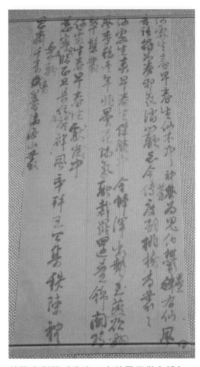

乾隆帝御筆（生春二十首用元微之韻）詩稿

乾隆四十九歲畫像

內部裝飾精細，是紫禁城室內裝潢的驕傲！直到現在還是接待外國元首，最隆重的地方。清代的農曆十二月初一時，有個「嘉平書福」儀式在這裡舉行（有時也在漱芳齋內舉行）。「嘉平」是商代對十二月的稱呼，在這一天皇帝要以專門的「賜福蒼生筆」，書寫「福」字，賜予后妃或王公大臣以示恩寵，由於每次大約只有十幅左右[31]，所以能拿到人莫不引以為傲！

建福宮延春閣老照片

　　「惠鳳亭」在「建福宮」的北方，是皇帝休憩的地方。過了這裡進入一道紅牆「存性門」之後，就是屬於「建福宮花園」了。這座花園是乾隆皇帝遊覽江南風光之後，因為特別醉心於南方的山水，所以把南方水鄉之地的樓台亭閣、奇岩怪石等等元素，融合進這座花園之中，使得遊覽其中時迂迴曲折，迷途岔路皆勝景。乾隆晚年再建「寧壽宮花園」時，其中的第四院落，造的幾乎就是將「建福宮花園」縮小規格，然後複製搬到自己養老的「寧壽宮花園」內，也就是現在的「乾隆花園」，可見乾隆對這裡的喜愛程度。過了「存性門」眼前的建築物是「靜怡軒」，是皇帝的寢宮。它的後面是故宮四座「六品佛樓」之一的「慧曜樓」。

　　這座美倫美奐的「建福宮花園」占地4020平方公尺，裡面擁有10多座

---

31 這項活動在「建福宮」之前，是在「養心殿」進行的。

建築，而且形式各異、布局靈活，是故宮中的一顆明珠，但卻在1923年6月付之一炬後，成了中國人的遺憾……1990年故宮開始籌劃要重建這座花園，直到2006年5月才完工，現在大家看到的樣貌，是根據清朝畫師丁觀鵬所繪的《畫太簇始和》，和瑞典學者喜龍仁在1922年所拍的老照片所複製而成的，至於內裝部分只能憑想像了……

我們從花園的東北角進入後，北邊的建築叫「吉雲樓」，是花園內的佛堂之一。內部原本存放眾多金製佛像器具，建福宮花園火災時，黃金物品被高溫溶化成液態遍布大地，後來在這裡收集的黃金「垃圾」占了大部分，可見得當年這裡的含金量有多少了。它的西邊是「敬勝齋」，是原本保存了數千塊明代景泰年間；「大藏經」印刷雕版的地方，也是乾隆藏書之地。

西向正前方是花園的主體建築「延春閣」，外表看似二層，實際內部三層，仿「明堂」禮制的結構。古人認為這種建築可以上通天象、下統萬物，是天人合一的神聖之地，所以內部結構應該有一年四季、十二個月和十二時辰等因素。乾隆將他一生收集無數的骨董字畫，絕大部分收藏在這裡。

「碧琳館」在「延春閣」的西北方，是皇帝休憩欣賞花園內景色的地方。「延春閣」的西邊是「凝輝堂」也是園中的佛堂之一，內部原本也收藏眾多金製佛具。堂的南方有一大片假山，上面有賞景的「積翠亭」。其實整座花園中布滿了各種奇石，比較有名的有「飛鳳石」、「飛來石」、「鷲峰石」、「玉玲瓏石」等等，為花園憑添許多的樂趣。

西元1799年，乾隆去世後，嘉慶皇帝下令封鎖這裡，直到一百多年

建福宮大火

後，民國時期的溥儀發現這裡的無數珍寶！於是他和弟弟溥傑進入其中，一一鑑賞裡面的文物，並以「圈圈」標注珍寶的等級，被畫上五個圈的是最頂級文物，優先以「賞賜」的名義，被溥傑帶出故宮，據他自己回憶：大約有一千兩百件左右的文物如此走出了紫禁城……結果這項舉動引發了上行下效，宮中人員紛紛也盜出文物變賣，而且越來越明目張膽，終於引起溥儀的高度重視！

在外國教師莊士敦的建議下，原本計畫將「延春閣」中的文物拍照存檔比對，不過並沒有實施，因為不久這裡就發生大火了。事後調查報告說：是因為電線走火而釀災，但溥儀卻肯定的認為：是宮中人員恐慌東窗事發、才毀屍滅跡！因此他將宮內太監解散出宮，整個紫禁城僅留一百名

而已。

1923年6月26日九點左右的那場火災，被歷史稱為「建福宮大火」。根據「內務府」的報告說，火苗從「敬勝齋」開始，總共燒燬10多處建築，房間130間、金佛2665尊、字畫1157幅、古玩435件、書籍數萬冊。可是近代學者以為真實數字恐怕不只如此，因為根據宮中檔案記載：光是關於藏傳佛教的文物就有10萬件，可是現存僅有4萬件左右，消失的文物其中有絕大部分，和這場大火有關。

在經過22小時大火熄滅後，現場共拾獲熔化的金銀等金屬507袋，其他傷殘玉器等等43箱。後來「內務府」以50萬的價格將這些「垃圾」賣給一家金店，這家金店後來，光從這些「垃圾」中獲得黃金1萬7千多兩。不管真實數量有多少，那怕只有一件，都是文化上的浩劫！

隨著園中的歷史硝煙逐漸散去，故宮的舞台也該逐一步入我們的身後了。在穿越紫禁城北面的「神武門」後，天子之家也結束了說故事的角色……希望我們在別的故事中，再度相逢！感謝！

HISTORY 71

## 故宮應該這麼逛：一探北京故宮繁榮盛世，用不同角度全面玩味故宮歷史

作　　者—吳駿聲
圖表提供—吳駿聲
責任編輯—陳萱宇
主　　編—謝翠鈺
資深企劃經理—何靜婷
封面設計—陳文德
美術編輯—菩薩蠻數位文化有限公司

董 事 長—趙政岷
出 版 者—時報文化出版企業股份有限公司
　　　　　108019 台北市和平西路三段二四〇號七樓
　　　　　發行專線—（〇二）二三〇六六八四二
　　　　　讀者服務專線—〇八〇〇二三一七〇五
　　　　　　　　　　　（〇二）二三〇四七一〇三
　　　　　讀者服務傳真—（〇二）二三〇四六八五八
　　　　　郵撥—一九三四四七二四時報文化出版公司
　　　　　信箱—一〇八九九　台北華江橋郵局第九九信箱
時報悅讀網—http://www.readingtimes.com.tw
法律顧問—理律法律事務所 陳長文律師、李念祖律師
印刷—勁達印刷有限公司
初版一刷—二〇二一年十月二十二日
初版三刷—二〇二二年十月二十五日
定價—新台幣四八〇元
缺頁或破損的書，請寄回更換

故宮應該這麼逛：一探北京故宮繁榮盛世，用不同角度
全面玩味故宮歷史/吳駿聲著. -- 初版. -- 台北市：時報
文化出版企業股份有限公司, 2021.10
　面；　公分. -- (History ; 71)
ISBN 978-957-13-9425-1 (平裝)

1.國立故宮博物院(中國) 2.歷史

069.82　　　　　　　　　　　　　　　110014742

ISBN：978-957-13-9425-1
Printed in Taiwan